SARAH ROSSBACH

●

EL ARTE DEL FENG SHUI

Traducción de Raquel Albornoz

Sarah Rossbach

•

EL ARTE DEL FENG SHUI

Cómo diseñar el espacio
para armonizar la energía

EMECÉ EDITORES

820-4(73)   Rossbach, Sarah
ROS   El arte del Feng Shui. - 7ª ed. - Buenos Aires : Emecé, 2000.
            256 p. ; 22x14 cm. - (Ensayo)

            Traducción de: Raquel Albornoz

            ISBN 950-04-1799-5

            I. Título - 1. Ensayo Norteamericano

Emecé Editores S.A.
Alsina 2062 - Buenos Aires, Argentina
E-mail: editorial@emece.com.ar
http: // www.emece.com.ar

Titulo original: *Interior Design with Feng Shui*
First publish in Unites States under the title:
Interior Design with Feng Shui by Sarah Rossbach
Copyright © Sarah Rossbach, 1987
Publicado mediante convenio con Dutton Signet,
a division of Penguin Books USA Inc.
© *Emecé Editores S.A., 1997*

Diseño de tapa: *Eduardo Ruiz*
Fotocromía de tapa: *Moon Patrol S.R.L.*
7ª impresión: 3.000 ejemplares
Impreso en Verlap S.A.,
Comandante Spurr 653, Avellaneda, octubre de 2000

IMPRESO EN LA ARGENTINA / PRINTED IN ARGENTINA
Queda hecho el depósito que previene la ley 11.723
I.S.B.N.: 950-04-1799-5
23.534

A Lin Yun que me enseñó
más de lo que yo sé

INTRODUCCIÓN

BUDDHA

Existen muchas maneras de comprender la vida y el universo: a través de la superstición, la religión, la filosofía, la ciencia, etcétera. Si bien cada enfoque cuenta con sus propios expertos –científicos, sacerdotes, filósofos, médicos, poetas– no son más que ciegos que reciben impresiones distintas al tocar el mismo elefante. Un sacerdote puede palparle las patas y decir que la vida se asemeja a un tronco de árbol; el científico, tomándolo de la cola, puede suponer que la vida tiene forma de cuerda; el poeta, tocándole una oreja, puede proclamar que la vida se parece a una hoja de loto; el médico, apretándole un colmillo, tal vez llegue a la conclusión de que la vida es como un hueso; el filósofo, aferrando su tronco, quizá proclame que la vida es como una serpiente, y así sucesivamente. Desde su propia perspectiva, la conclusión a que arribe cada experto se funda en el conocimiento y es coherente. Sin embargo, sus teorías son sólo partes del panorama general.

Yo también soy uno de los ciegos. Y puesto que toco una parte distinta del elefante, he creado mi propia teoría sobre la relación entre el universo y la vida humana. Mis ideas provienen de la China –vasto y variado país aproximadamente del tamaño de los Estados Unidos– que, durante sus cinco mil años de civilización, produjo numerosos conceptos profundos y diversos. Entre los más misteriosos aunque prácticos se halla el del *feng shui.*

Según este concepto, nuestra vida y destino están estrechamente interrelacionados con el funcionamiento del universo y la naturaleza. Toda permutación, desde lo cósmico a lo atómico, resuena dentro de nosotros. La fuerza que une al hombre y su entorno se denomina *chi* (lo cual se traduce como espíritu humano, energía o hálito cósmico). Hay distintas clases de chi: uno que circula en la tierra, otro que circula en la atmósfera y un tercero que se mueve dentro de nuestro propio cuerpo. Cada uno de nosotros posee chi. El chi hace desplazar nuestro cuerpo. Sin embargo, sus características y los modos en que nos mueve son diferentes en cada uno. El chi es el hálito fundamental para mantener el equilibrio físico, ambiental y emocional. El sentido del feng shui es aprovechar y realzar el chi ambiental para mejorar el flujo del chi dentro de nuestro cuerpo, y de ese modo mejorar nuestra vida y destino.

La armonía y el equilibrio son factores vitales en el feng shui, pues impregnan el *proceso* que une al hombre con el universo. Dicho proceso se denomina *Tao.*

Los chinos unen al hombre con el cielo y la tierra a través del Tao, y dividen todas las cosas en dualidades complementarias: el *yin* y el *yang*. El Tao es un hilo que vincula a los humanos con su entorno, ya se trate de una vivienda o una oficina, una montaña o un río, la tierra o incluso el cosmos. El Tao funciona de la siguiente manera: Miro el firmamento. ¿Está vacío, o está lleno de atmósfera, sol, luna y estrellas? A lo mejor sí, a lo mejor no. Del firmamento vienen el cielo (yang) y la tierra (yin); dentro de la tierra existen montañas y llanuras (yin), como también ríos y arroyos (yang). En las montañas y planicies, la gente (yang) vive y construye casas (yin). Hay hombres (yang) y mujeres (yin), y cada uno tiene un exterior (yang) y un interior (yin).

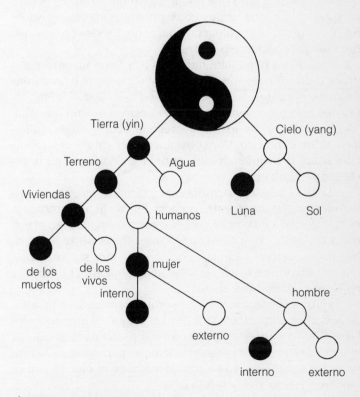

SÍMBOLO DEL YIN-YANG
Y COSMOLOGÍA DEL BUDISMO TÁNTRICO TIBETANO

De la interacción –la labor de equilibrio y armonía– de las fuerzas del yin y el yang surge la teoría del chi, que significa el hálito cósmico y también la energía o espíritu humano. El chi es el rasgo más fundamental de la vida. El chi humano determina nuestros movimientos, características físicas y rasgos personales.

Cuando hablo de por qué pueden moverse los humanos, acepto totalmente las explicaciones biológicas respecto del proceso mediante el cual el cerebro envía señales a los músculos para que éstos muevan nuestros huesos y articulaciones. Sin embargo, también veo al hombre como el hálito del chi. Debido al chi podemos desplazarnos. El chi da vida a nuestra boca para que podamos hablar. Fluye a través de nuestras piernas para que podamos caminar. Circula dentro de nuestras manos, y por consiguiente podemos escribir. No obstante, si sólo colma una parte de nuestro cuerpo, estaremos parcialmente paralizados.

El modo en que el chi hace mover y llena nuestro cuerpo es indicativo de nuestra salud y destino, por no hablar de cómo obramos recíprocamente en la sociedad, cómo influimos sobre los demás y sobre nuestro entorno inmediato, y –en el caso de los dirigentes mundiales– cómo influimos sobre el mundo. Por consiguiente, el chi de uno repercute sobre la propia persona, sobre los demás, sobre la sociedad y el universo.

El chi es nuestra identidad no biológica: nuestro espíritu, nuestra psiquis, nuestra esencia. Sin el chi, un cuerpo no es más que un cadáver de piel, huesos y músculos. En el término de dos o tres años, nuestras células se regeneran. Nuestros cuerpos cambian constantemente; sin embargo, nuestra identidad o *self* es fundamentalmente el mismo, y el factor constante es el chi.

El chi es la esencia que nos permite reconocer a un niño de seis años al que hace tres que no vemos. Si bien las células del niño murieron y fueron reemplazadas por células nuevas, existe cierta característica que permanece distintiva y distinguible. Y esa característica es el chi. El chi es nuestro destino y también lo *crea*.

Con el fin de mejorar el chi humano y el destino, el feng shui ofrece numerosas teorías, terapias y técnicas que he creado y perfeccionado durante mi ejercicio de la práctica.

Según predico, el chi proviene de partículas embrionarias de chi denominadas *ling* que circulan en la atmósfera. El universo está colmado de diferentes tipos de ling. Una vez que el ling entra en el vientre materno, se convierte en nuestra identidad, nuestro espíritu y nuestro chi, que inunda nuestro cuerpo y lo transporta. Cuando la persona nace, el chi lo ayuda a crear y cumplir su destino. En la vejez, cuando el chi abandona el cuerpo, la persona muere y el chi vuelve a ser ling una vez más (véase Anexo 2).

En el curso de la vida, nuestro chi resulta afectado por muchas cosas: por la propia identidad, por los demás, por la moda, el entorno. El chi es el viento que transporta las semillas del cambio, de las costumbres y tendencias, en un plano global o personal; por ejemplo, los efectos de las fluctuaciones del dólar, los efectos que se producen sobre la situación económica mundial cuando un país en vías de desarrollo no cumple un préstamo que se le ha otorgado, o meramente el carácter contagioso del pánico, la enfermedad o la risa. Por ejemplo, si un país padece un golpe de estado, los países fronterizos también pueden padecer disturbios e incluso correr la misma suerte. Si una persona que va sen-

LING

tada al lado de nosotros en un viaje en avión se descompone, puede suceder que uno también sienta descompostura. Las modas de otoño de París pueden influir sobre los estilos imperantes en Nueva York en invierno, y los de la primavera en California. El medio que sustenta estas tendencias y sentimientos es el chi.

El chi del hogar también puede afectar nuestro chi personal. El estudio de cómo influye el chi ambiental sobre el chi personal constituye una parte importante del feng shui. Por ejemplo, si la puerta de entrada de mi casa da a una pared, mi chi estará bloqueado. El hecho de tener que rodear una pared apenas entro afectará mi postura, y el tener que enfrentarme con una pared me hará sentir derrotado y disminuir mis expectativas vitales. En consecuencia, tendré que luchar. Del mismo modo, la cama, por ejemplo, tendría que ser el sitio más cómodo donde tirarse a descansar. Si la cama está junto a una puerta que cruje cuando duermo, miro televisión o leo, me hará sentir una presencia, como si alguien estuviera entrando. Naturalmente acumularé cierta sensibilidad, y la experiencia acumulativa afectará mi estabilidad mental; el corazón me latirá a más velocidad y me volveré más excitable. Todo esto repercutirá en gran medida sobre el equilibrio de mi sistema nervioso con similares consecuencias. Si trabajo dando la espalda a la puerta, en cierta medida esperaré que alguien entre a mis espaldas y me interrumpa, y por consiguiente, disminuirá mi eficiencia y productividad. Esto me acarreará perjuicios psicológicos.

Por ende, el feng shui de la secta del Gorro Negro (véase glosario) percibe la vida como algo más que una entidad sellada herméticamente. Para explicar el curso de nuestra vida no basta el pensamiento lineal. Hace falta una mayor profundidad, una mezcla de planos del pensamiento, si se quieren descifrar los eventos de nuestra vida. Una multitud de factores y dimensiones afectan nuestro chi y nuestra vida. Cuando algo ocurre, se debe a innumerables razones. Para desentrañar dichas razones yo uso un análisis a la vez horizontal y vertical.

El análisis vertical une nuestra vida con nuestro entorno inmediato y cósmico, o con el entorno mayor. Para ello analiza el universo, el movimiento y las posiciones de las estre-

14

llas, el sol y la luna, como también los patrones meteorológicos, las mareas y las condiciones atmosféricas. Tampoco puede soslayar la situación política, geográfica y económica de nuestro país, desde las costumbres de nuestra sociedad hasta nuestro Estado, ciudad, barrio, cuadra, casa, dormitorio, cama, y por último, nosotros mismos. Todos estos factores afectan nuestro chi. Pero cuanto más estrecho y cercano el factor ambiental, mayor es la influencia que posee.

Otros factores pueden comprenderse partiendo del análisis horizontal, que examina la relación de los elementos periféricos con la causalidad y la probabilidad.

Una persona no muere, se casa o pierde un empleo meramente. Hay muchos factores posibles y aparentemente no relacionados que concurren para producir tales hechos. Por ejemplo, ¿por qué murió determinada mujer? Las razones inmediatas nos dicen que porque estaba vieja y enferma, pero el análisis horizontal vincula su deceso con otros factores, como podría serlo la rotura de un jarrón. Puede ser que ella haya tropezado con un costoso jarrón perteneciente a su nuera quien, a su vez, la regañó. Disgustada consigo misma, la mujer sale a la calle sin abrigo y se va a casa de una amiga a jugar al ma-jong. Allí, aún mortificada, pierde, lo cual la pone de peor ánimo. Entonces se marcha airada, y no acepta que le presten una chaqueta pese a que ha empezado a llover. Se resfría y a continuación se muere. De esta manera, su muerte puede rastrearse al episodio del jarrón e incluso antes también.

Estrechamente relacionado con estos múltiples factores que afectan nuestra vida se halla el destino. Algunos sostienen que la vida está predeterminada por el karma (las obras buenas), las estrellas, etcétera. Otros no creen en absoluto en el destino. Otros creen fundamentalmente en su propia voluntad y capacidad de forjar su vida. Yo creo que cada uno tiene un destino que puede modificarse, no sólo mediante sus propios esfuerzos racionales o karma, sino por medios místicos que parecen desafiar toda lógica.

A través de nuestra propia voluntad y autorrefinamiento, nuestra vida puede transitar por una senda deseada, aunque es posible que hechos imprevistos modifiquen su rumbo. Puede entonces plantearse la semejanza con el cultivo de un melón. La semilla, con la ayuda del sol, la tierra fértil, la lluvia y el esfuerzo del labrador, debería convertirse en un melón, pero en realidad, incluso dándose las mejores condiciones, no es algo seguro, puesto que puede ocurrir cualquier cosa. Por ejemplo, con una esmerada labor de cultivo, la semilla se convertirá en un melón grande y jugoso, pero puede suceder que el día en que esté por ser cosechado, un niño lo pisotee.

El feng shui presentado en este libro nos enseña a utilizar sus curas con el fin de cambiar nuestro destino para mejor.

Cuando se adquiere una casa, hay que seguir ciertas reglas básicas. El feng shui de la secta del Gorro Negro opera en dos planos, el *sying* y el *yi*.

El sying engloba los factores ambientales tangibles del feng shui: denota los elementos externos –la energía (chi) de la tierra, la forma y estructura de casas y columnas, la yuxtaposición de puertas, la ubicación de los muebles– que contribuyen para que el feng shui de un lugar determine la suerte de una persona. Las escuelas tradicionales de feng shui acentúan sobremanera el sying –literalmente las "formas"– y las direcciones.

Aunque sin rechazar estos métodos tradicionales, la secta del Gorro Negro incluye un elemento adicional para armonizar el ambiente: la labor de canalizar y equilibrar el chi. Mi teoría, además de optar por el sying, incluye también algo adicional: el yi. El yi –que podría traducirse como un deseo o una intención– juega un papel importante en el feng shui de la secta del Gorro Negro. El yi es una bendición, una forma de adaptar y realzar el chi a través de la intuición y la imposición de la voluntad del experto (y el deseo de un cliente de creer) sobre una casa o una persona. Se trata de un proceso vital pero intangible –una positiva transferencia y transformación de energía (chi)– que refuerza y bendice el aspecto físico (sying) del feng shui.

Estas dos categorías pueden desglosarse aún más de la siguiente manera:

EL SYING

1. chi de la tierra
2. formas de la tierra
3. formas de edificios
4. disposición de la habitación
5. otros

Factores internos
1. posición de la cocina
2. vigas
3. escaleras
4. columnas
5. puertas
6. escritorio

7. mesa del comedor
8. oficina

9. colores de paredes
   o muebles
10. luces
11. otros

Factores externos
1. dirección del camino
2. puentes
3. árboles
4. tejado
5. rincones
6. templo o mausoleo
   al frente o parte trasera
   de la casa
7. ríos y arroyos
8. postes de teléfonos
   o de electricidad
9. colores de los alrededores

10. otros

YI

1. Tres secretos
2. ba-gua
3. Rastreando las Nueve Estrellas
4. La Rueda de Ocho Puertas
5. Yu-nei (adaptando el chi de la casa - interno)
6. Yu-wai (adaptando el chi de la casa - externo)
7. La Rueda Dharma en Rotación Continua
8. historia de la casa
9. otros

(Si me preguntan qué aspecto de cada categoría es el más importante, responderé que "otros", es decir, los signos sutiles que identifican y dan forma a nuestro destino.)

Utilizo tanto el sying como el yi para analizar y luego mejorar el feng shui de determinado lugar. El sying, que es más fácil de comprender y llevar a la práctica, se explica en los primeros capítulos del presente libro. Las reglas del sying nos dan a entender cómo nos está afectando el entorno físico, y cómo, adaptándolo y modificándolo, se pueden cambiar aspectos específicos de la propia vida, si no nuestro destino mismo. Por ejemplo, el sying puede referirse a una cama mal ubicada que produce resfríos crónicos e infinidad de otros problemas; dos puertas no alineadas pueden crear discordia familiar; o bien un árbol cerca de la entrada puede llegar a bloquear el desarrollo de la persona en su carrera profesional. El sying también se refiere a los modos físicos de mejorar el feng shui de determinado lugar.

El yi, por el contrario, requiere mucho más estudio. El yi es el uso de nuestras facultades mentales para cultivar el chi de una casa o una persona. Además de ser sumamente intuitivo, el yi constituye un aspecto complejo y detallado del feng shui. Este elemento debe ser aprendido en forma oral de un maestro, y se necesitan muchos años de práctica para perfeccionarlo. Se lo presenta en capítulos posteriores de este libro para los lectores que deseen alcanzar una comprensión más profunda del feng shui.

Existen muchas escuelas de feng shui, y mi disciplina –la secta del Gorro Negro del budismo tántrico tibetano– ocupa un importante lugar entre ellas. Conocí a esta secta en Pekín, hace más de cuarenta y cinco años. Cuando tenía seis o siete, solía jugar con mis amigos en los jardines de un monasterio budista de Pekín, reservado para lamas tibetanos. Allí, un día un sumo lama –es decir, un erudito y experto budista en las artes místicas de la secta– me tomó bajo su protección. Durante diez años me enseñó los métodos místicos de la secta del Gorro Negro, incluso la teoría y práctica del feng shui. Posteriormente fui aprendiz de otros renombrados maestros y adquirí la experiencia del feng shui.

Considero que las enseñanzas de esta secta son las más útiles, novedosas y compatibles con la ciencia y el diseño modernos. Sin embargo, también se asientan en la antigua cultura china taoísta –Tao, yin-yang, chi y feng shui tradicional–, por no mencionar la influencia proveniente de creencias y prácticas del budismo indio y tibetano.

Mi método de feng shui es el resultado de varias disciplinas religiosas. El feng shui del Gorro Negro surgió del largo camino del budismo, que partió de la India, atravesó el Tíbet y llegó a la China. En cada lugar absorbía las enseñanzas locales: de la India obtuvo una iglesia organizada, completa, con yoga, cánticos, compasión y dharma, y la sagrada disciplina de que el maestro transmita sus enseñanzas al discípulo. En el Tíbet incorporó los cánticos y conjuros místicos del bon, la religión vernácula. Y en la China propiamente dicha absorbió el *I Ching,* como también religiones y costumbres confucianas, taoístas y populares tales como el tradicional feng shui, la quiromancia, las sanaciones y la teoría del chi. La síntesis constituye una manera muy práctica y sensible de vivenciar el entorno, imbuida y sustentada por un repertorio de cánticos y conjuros, plegarias y meditaciones místicas. Estas influencias religiosas confieren al feng shui de la secta del Gorro Negro una importancia adicional, ¡y resultados mucho más exitosos que los que producen otras escuelas!

En su viaje a Occidente, nuestra secta ha absorbido también nuevas costumbres e invenciones. Para sus curas emplea luces, electricidad y maquinarias pesadas. El ron reemplazó al fuerte vino de arroz empleado en los brebajes rituales. Y se estudia con mucha seriedad la ubicación de los hornos de microondas y computadoras. Pero pese a la modernización, el objetivo del feng shui sigue siendo el mismo que hace miles de años: la búsqueda y creación de un ambiente más confortable y armónico donde vivir y trabajar.

En el feng shui de la secta del Gorro Negro, lo tradicional ha sido que el conocimiento y la práctica de orden místico se transmitieran de maestro a discípulo, y nunca se asentó nada por escrito. He nombrado a Sarah Rossbach, escritora y ex alumna mía de lengua, para que sea ella la primera persona que redacte un volumen dedicado por entero a esta disciplina. Ella recibió la información directamente de mí, y considero que ha comprendido cabalmente, y explicado con lucidez, mis teorías, enseñanzas y prácticas. No sólo me complace presentar este libro importante y especial, sino que también tengo una deuda de gratitud para con Sarah por haber traducido mis enseñanzas y esta introducción.

Lin Yun

PREFACIO

El presente libro está escrito con formato de manual donde se enseña cómo hacer las cosas. Se propone enseñar la aplicación práctica del feng shui. Sin embargo, no explica cómo diseñar en su sentido más estricto. Quienes buscan formas de "hacer una afirmación" con el diseño, o buscan estrictas normas de feng shui para cada ocasión posible, bien pueden desilusionarse. El buen gusto seguirá estando en el lector. El valor del libro aumenta con la medida de intuición, inteligencia e inventiva que le aporta el lector. Este libro constituye una guía para la mejor ubicación de las cosas en el espacio, y ofrece conceptos, ejemplos y métodos de lograr la armonía con el propio entorno. Brinda muchas reglas y resoluciones, pero sólo a modo de sugerencias destinadas a que el lector se eduque a sí mismo, y pueda luego interpretar su hogar en los modos adecuados a sus necesidades y preferencias individuales.

El feng shui abarca una dimensión del diseño de interiores que puede realzar y complementar cualquier estilo. Algunos reconocidos arquitectos y diseñadores de interiores de Occidente han consultado a expertos en feng shui con fines profesionales, como también personales.

El libro contiene centenares de ejemplos de problemas de diseño y sus soluciones, pero el lector encontrará pocos cálculos; y sin duda, notará que faltan muchas formas, cambios y disposiciones. Pero no es eso lo que importa. Una vez que la persona comprende los principios explicados en estas páginas, puede aplicarlos a numerosas situaciones. Por ejemplo, cuando se comprende que una posición al final de un largo pasillo puede ser desfavorable, que puede causar problemas de salud y laborales porque la energía se canaliza demasiado de prisa por un corredor, se puede aplicar esta idea a otras situaciones. Así, uno aprende que debe evitar los ríos y caminos rectos, que apunten como flechas a un sitio, y que debe cuidarse del efecto de "embudo" de tres o más puertas o ventanas en hilera, que también conducen la energía con demasiada rapidez.

Poniendo en práctica los consejos de este libro, se deben analizar los efectos de cada situación. El criterio es un importante componente del feng shui: el camino que parece apuntar a la casa de uno podría ser una autopista muy transitada que arroja energía y tránsito hacia nuestra vivienda, o podría ser apenas una carretera secundaria que terminara en un soñoliento callejón sin salida y produjera muy pocos efectos adversos sobre nuestra vida.

Del mismo modo, muchas curas y soluciones son intercambiables, y siempre hay lugar para el gusto y el ingenio individual. Por ejemplo, si tenemos una esquina que sobresale peligrosamente dentro de nuestro dormitorio, y las curas sugeridas no son de nuestro agrado (odiamos los espejos y no tenemos suerte con las plantas), podríamos atenuar el efecto maligno colgando algo de nuestro agrado, como podría ser uno de esos timbres que se accionan tirando de una cinta de seda con borla, similares a los que se ven en las viejas mansiones y hoteles de Europa.

La influencia del feng shui es amplia y brinda una manera especial de tratar los problemas existentes en nuestro espacio vital o en nuestra vida personal.

Hago, sin embargo, una advertencia. El hecho de tener el mejor feng shui no siempre impide lo inevitable, como por ejemplo, la muerte de abuelos o padres, las actitudes celosas o las peleas cotidianas, pero sí nos ayudará a sobrellevarlo mejor o a recuperarnos más de prisa. Una mujer que prepara comidas para recepciones comenta que, después de que colocó un espejo detrás de las hornallas, y un timbre en la entrada de la cocina, cambiaron sus reacciones: "Cuando un pastel de bodas me salía mal, en vez de frustrarme y arrojar la toalla, seguía trabajando pacientemente hasta que conseguía que me saliera perfectamente bien".

Cuando el profesor Lin aconseja a la gente, siempre ofrece una solución doble para sus problemas: la cura y los principios en que se sustenta dicha cura. A muchos les interesa sólo la cura, y no quieren enterarse de nada más. Quienes asimilen mis teorías quizá logren, la próxima vez, ayudarse a sí mismos.

AGRADECIMIENTOS

No fue sencillo realizar la investigación previa y luego escribir este libro. Muchas personas aportaron tiempo, datos y sugerencias que no sólo hicieron posible el libro sino que también lo enriquecieron en gran medida.

Quiero expresar mi agradecimiento a las siguientes personas por su generosa ayuda y aliento: Vivian y Wilson Chang, el profesor Leo Ch'en y señora, Jenny Cheung, Bill Doyle, Deborah Herron, Al Holm, Margaret Huang, Johnny y Lola Kao, David Keh, Sally Keil, William Robert King y asociados, arquitectos, Michelle y Gordon Jin, Thomas Lee, Rosina Lee, Sue Lehmann, señor T. C. Liang, Virginia Liu, George Lu y señora, Howard Rossbach, Eleanor Rossbach, Maureen St. Onge, Ed Schoenfeld, profesor S. Y. Shieh, Patrick Smith, Ann Sperry, Edgar Sung, Charles Wang, Robert Wang, Elke Ward-Smith, Alice Wong, Ken Yeh, Richard Zak, la Fundación Lin Yun y la Fundacion Cultural y Filosófica China.

Gracias especiales a Betsy Scanlon y Dorothy Harrington por los nobles esfuerzos que realizaron para descifrar mi letra. A Betty Ann Crawford, Rachelle Epstein, Douglas Fleming, Spencer Reiss y Tim Smith, gracias por sus valiosos comentarios, y a Glenn Cowley y Caroline Press, gracias por su aliento, sus ideas y sugerencias en el plano editorial.

Quedo especialmente agradecida a Jon Zatkin, Lynn Tu, Lily Hwoo y Chu Chien-lih por ayudarme a investigar, por facilitarme información y hacérmela inteligible. También, por responder a mis pedidos de ayuda.

Por las fotografías incluidas en el libro quiero agradecer a Dudley Gray, que con paciencia y sentido artístico obtuvo los resultados deseados. Andrzej Janerka y Norman McGrath aportaron, cada uno, una foto, por lo cual también estoy agradecida. A las siguientes personas les agradezco que hayan brindado sitios donde tomar las fotografías: Wilson y Vivian Chang. Clodagh, Douglas Fleming, Fred Gluck, Patty Hambrecht de K.B.H. Interiors Inc, David Keh, Sally Keil, Sue Lehmann, Sean McCarthy, I.M. Pei y socios, y Ann Sperry.

Pero fundamentalmente, gracias al profesor Lin por su paciente instrucción, sus valiosos consejos y su cálida amistad durante todas las etapas de este proyecto, y lo más importante, sin cuyo apoyo este libro jamás se habría cristalizado...

GLOSARIO

ba-gua Los ocho trigramas del *I Ching*, a los cuales se atribuyen ocho características relativas a la naturaleza, el hombre, las relaciones de familia e incluso zonas dentro de una casa. Es también el símbolo octogonal del *I Ching*. El octágono puede superponerse sobre una casa, sobre un terreno, una oficina, una habitación, y hasta sobre muebles para diagnosticar las enfermedades ambientales que afectan a sus residentes. También puede usárselo para curar estos problemas.

BTT Budismo tibetano tántrico. Forma de budismo prevalente en el Tíbet, derivada del budismo mahayano indio. Basado en el misticismo esotérico del tantra (tradición de ritual y yoga) y en el bon (religión primitiva y mística del Tíbet). Véase secta del Gorro Negro.

Secta del Gorro Negro Secta no ortodoxa del budismo tántrico tibetano, que en la China mezcló el budismo y el bon tibetanos con creencias y prácticas locales. Combina el taoísmo y el confucianismo religioso y filosófico, curas y costumbres populares, y el feng shui.

chi Hálito o energía cósmica adjudicada a la naturaleza, la tierra y los humanos. Se trata del principio más importante que los expertos en feng shui tratan de modificar; así, canalizan y realzan el flujo de chi ambiental para mejorar el chi humano, y de ese modo aumentan la felicidad, la riqueza y la vitalidad.

chu-shr Lo aún por descubrir; lo que está fuera del marco de la ciencia y el espectro de nuestro conocimiento. Las curas "ilógicas".

feng shui Traducido literalmente como "viento y agua", es el arte chino de ubicar las cosas en el espacio, de equilibrar y realzar el ambiente.

I Ching Antiguo texto místico de adivinación –la madre del pensamiento chino– empleado para predecir el futuro y brindar consejos. Sus textos ofrecen sabiduría y pintan el universo y el destino del hombre en flujo constante. Sus trigramas encierran una antigua cosmología que vincula a la naturaleza y el hombre, y ofrecen un diagrama místico donde el destino humano se vincula directamente con el medio que lo rodea.

ju-sha Cinabrio en polvo (sulfuro mercúrico rojo) usado como medicina mística en las curas y rituales del feng shui. Dado que es venenoso, debe tenerse cuidado al utilizarlo.

ling Minúsculas partículas de chi embrionario transportadas por el aire; el espíritu prenatal y posterior a la muerte de un individuo.

mantra Cántico ritual que, combinado con un mudra y un deseo, bendice un hogar o a un individuo para intensificar el chi ambiental y el humano.

mudra Bendición expresada con la mano –a menudo similar a los ademanes de Buda– que, junto con un mantra y un deseo, pueden bendecir o exorcizar a una persona o lugar.

ru-shr Lo que se conoce, dentro de nuestro campo de experiencia y conocimiento. Las curas "lógicas".

sying Las formas, el aspecto inmanente del feng shui (lo que podemos ver, sentir y mover, desde las formas de la tierra, el paisajismo, las direcciones de caminos, las casas y las habitaciones hasta la ubicación de los muebles).

syong huang Rejalgar en polvo –mineral rojo-anaranjado compuesto por sulfuro de arsénico– a veces intercambiable con el ju-sha, pero que también tiene sus usos específicos propios en las curas místicas. El syong huang es venenoso, por lo cual es necesario usarlo con cuidado.

Tao "El camino", concepto filosófico de unidad de opuestos que describe la verdadera naturaleza y los armoniosos principios rectores del hombre y el universo.

Taoísmo Una filosofía y una religión. En tanto filosofía, predica la trascendencia de lo mundano identificándose al hombre con el Tao y las leyes de la naturaleza; como religión popular, integra la costumbre y sabiduría china, lo cual engloba las tradiciones populares, la astrología, la medicina herbaria y el feng shui para ayudar a los creyentes a lograr éxito, felicidad y confort en este mundo.

yi Intenciones o deseos. Lo intuitivo, la parte trascendental del feng shui. Incorpora bendiciones, meditaciones y prácticas rituales para fortalecer la práctica, las curas sying, como también para adaptar y modificar el chi, cambiándolo de negativo a positivo.

yin y yang El concepto taoísta que une todos los opuestos.

1

INTRODUCCIÓN

CONCEPTOS K'AN YÜ (EL K'AN YÜ, CUYO SIGNIFICA-
DO ES "REPARO" Y "APOYO", TRADUCIDO COMO "BA-
JO EL DOSEL DEL CIELO", ERA LA ANTIGUA DENOMI-
NACIÓN DEL FENG SHUI).

Hasta hace pocos años, la sabiduría del feng shui era el dominio de un puñado de sinólogos, algunos sacerdotes budistas y taoístas y un reducido número de expertos –profesores de feng shui– que aconsejan profesionalmente a sus

clientes sobre una amplia gama de temas, desde dónde comprar una casa hasta dónde ubicar la tumba de un antepasado.* El feng shui, nombre de uso cotidiano en muchas partes del Asia, es una combinación de arte y ciencia. Su objetivo es disponer los edificios, habitaciones y muebles de la manera más beneficiosa con el fin de lograr la máxima armonía con la naturaleza. Según las creencias chinas, una vez que eso se logra, se obtienen prosperidad y felicidad. Tradicionalmente, el conocimiento lo pasa el padre al hijo, y lo hace sólo cuando se le abona un arancel o "dinero de la suerte" dentro de un sobrecito rojo. Sin embargo, si bien la mayoría de los chinos conocen algunas reglas básicas –tanto benéficas como supersticiosas–, pocos tienen la oportunidad de dominar el feng shui. En cambio, cuando se mudan a una casa u oficina nueva, consultan libros o piden asesoramiento a profesores de feng shui, que lo practican siguiendo variados métodos y con niveles diversos de idoneidad.

Éste es el segundo libro que escribo sobre esta disciplina. El primero, *Feng Shui: The Chinese Art of Placement,* publicado por E. P. Dutton en 1983, brinda un marco teórico e histórico de esta práctica milenaria. Fue, por fuerza, sumamente académico. Durante mis primeras investigaciones sobre el feng shui, realizadas en Hong Kong y Nueva York, mi experiencia personal comenzó con aplicarlo a mi propia casa y las casas de mis amigos. Me sentía, fundamentalmente, una observadora interesada, pero esos días pronto habrían de terminar.

Poco después de publicarse el libro, me inundaron los pedidos de personas que me consultaban como profesional respecto de cómo crear casas y oficinas más cómodas, si no más afortunadas. Mi primera experiencia la tuve con el loft de una artista plástica de Nueva York. Recorrí el ambiente de vivienda-atelier y comencé a aplicar reglas de libros de texto del feng shui: las escaleras empinadas que bajaban desde la entrada canalizaban hacia afuera de la casa el dinero y las oportunidades; la puerta del frente daba al sector

---

* Este libro se ocupa sólo de las casas de personas vivas. Véase *Feng Shui: The Chinese Art of Placement* si se desea información respecto de la mejor ubicación de sepulturas.

del comedor, de modo que los invitados acudían más a comer que a apreciar el talento de la artista; una cama mal ubicada le provocaba a su dueña molestos problemas de salud y de todo tipo. La mujer quedó impresionada –y yo también– de lo ciertas que resultaron todas las observaciones. Luego de instalar un biombo para separar la puerta de entrada de lo que era el sector cocina, notó que las visitas prestaban más atención a sus obras y menos al estómago.

Una cantidad de experiencias similares me enseñaron que examinar el feng shui de un sitio era parecido a leer la palma de una mano. Al analizar la disposición del mobiliario y las formaciones estructurales de una habitación, un observador intuitivo podía notar los patrones de la vida de una persona:

- un escritorio de oficina donde cada sucesivo ocupante era rebajado de categoría
- la alineación de una puerta que creaba una división entre dos socios comerciales
- una cocina mal ubicada, que alentaba el comer en exceso

A consecuencia de haberme dedicado los últimos tres años a esta labor, gané una mayor comprensión y conocimiento sobre cómo opera el feng shui. Comprendí que, si bien mi primer libro brindaba una clara introducción al tema, hacía falta información más gráfica y detallada. Los consejos adicionales permitirán que quienes deseen aplicar el feng shui a su vida lo hagan con una mayor apreciación de este arte. Tal como ocurrió con el primer libro, esta obra no habría sido posible sin la guía de un hombre, el doctor Lin Yun, renombrado experto en feng shui y educador en el campo de la cultura y la filosofía chinas, específicamente el feng shui de la secta del Gorro Negro. Esta secta de budismo tántrico tibetano es una mezcla de budismo y bon indio, una religión tibetana que combina el animismo, el misticismo y ritos tradicionales.

Conocí el feng shui en 1977, en ocasión de hallarme estudiando chino en Hong Kong, con el profesor Lin Yun. Se trataba de un hombre robusto y simpático, con un gusto particular por las camisas hawaianas, los pantalones negros y los zapatos con taco algo elevado. Se corrían rumores en la colonia británica sobre su dominio de un antiguo arte místico denominado feng shui. Sin embargo, pronto tuve oportunidad de enterarme de más casos, porque nuestras clases se veían regularmente interrumpidas por la aparición de algún creyente desesperado, que se negaba a partir hasta tanto Lin Yun no le solucionara su problema, fuese un matrimonio desavenido, un negocio que fracasaba o alguna enfermedad. Entonces, cerrábamos el libro, y Lin Yun me invitaba a que lo acompañara en esas experiencias, que bien podrían ser excursiones instructivas sobre el feng shui.

Pronto me enteré de que esta ciencia milenaria era tanto mística como pragmática. Sus orígenes se remontan miles de años hasta los comienzos de la civilización china, pero hoy en día se la usa para los fines más diversos.

El feng shui constituye una pieza importante de un complejo e intrigante rompecabezas de la vida y el universo. Influye sobre todas las cosas (y también recibe influencia de todo), desde el paisaje y el diseño urbano hasta la pintura paisajista y la poesía, la alquimia y la astrología, incluso las formas antiguas de filosofía, ciencia y psicología.

Traducido como "viento" y "agua", el feng shui es un "eco arte" que vincula al hombre y su destino con su entorno, ya sea natural o artificial, cósmico o local. Durante miles de años los chinos han tratado de canalizar, aprovechar y armonizar las fuerzas ambientales, tales como el viento y el agua, para mejorar el paisaje y también su vida. Creían que, si se hallaban en una posición ideal dentro del universo, podían realizar el equilibrio de la naturaleza y así mejorar su suerte; para ellos, un feng shui deficiente presagiaba desequilibrio y desastre.

Producto del pensamiento chino de antaño, el feng shui evolucionó como una combinación del taoísmo, el budismo, la teoría yin-yang del equilibrio y el ser uno con la naturaleza, el sentido común, la superstición y, a veces, el buen gusto. Si bien las herramientas del feng shui van desde la ubicación de muebles y edificios hasta el *I Ching,* son reforzadas por la intuición del experto, por su imaginación y la interpretación que él hace del entorno. La longevidad de esta práctica puede atribuirse al hecho de que promete conferir cosas atractivas: felicidad en el matrimonio, una larga vida, salud y una carrera laboral de éxito.

Hoy en día, quienes ocupan posiciones encumbradas no corren riesgos en lo relativo al feng shui. Me sorprendió encontrar a empresarios de mentalidad práctica, ansiosos por probar el feng shui como un instrumento más para concretar transacciones, aumentar su poder o ampliar su negocio. Constructores, decoradores y restauradores de la actualidad, como también importantes empresas internacionales tales como el Chase Manhattan Bank y el Morgan Guaranty Trust de Hong Kong, Singapur y Taiwán convocaron a expertos de esta ciencia para pedirles asesoramiento. Lee Kuan-yu, primer ministro de Singapur –y hombre educado en Cambridge–, realizó reuniones mensuales con un experto en feng shui, pero le sucedieron tragedias de orden político y personal porque decidió no seguir el consejo de dejar de rellenar las costas de la ciudad, con lo cual desequilibraba el feng shui del país. De hecho, el propósito de las prácticas del feng shui es desviar la mala suerte y atraer la buena.

Cuando me hallaba investigando para escribir este libro, busqué una vez más a Lin Yun, quien se había instalado en California y dictaba clases tres veces por semana sobre el feng shui y artes chinas afines.

Vestido con chaquetas de seda chinas, se hallaba a menudo rodeado de admiradores, en su mayor parte expatriados de Taiwán, desde académicos hasta hombres de negocios. Cuando no estaba enseñando o aconsejando sobre la mejor manera de planificar un Banco o un restaurante, parecía hallarse en un circuito continuo de conferencias –en las Naciones Unidas, las universidades de Stanford, Berkeley, San Francisco State, Yale, Harvard, MIT, Cornell e Iowa para mencionar unas pocas– explicando, en idioma mandarín, a veces con ayuda de un intérprete, los fundamentos del feng shui.

Tomé un avión a California y allí –entre medio de consultas en un restaurante chino y un negocio de vídeo– comenzó a introducirme a un aspecto más sagrado y místico del arte. Este misticismo durante siglos ha sido parte inherente del feng shui, y parece añadir fuerza a los aspectos prácticos de sus curas. Si bien algunas curas parecen lógicas, yo todavía no estoy segura de por qué es que funciona el feng shui, por qué unas pocas y al parecer intranscendentes modificaciones en el ambiente pueden volverlo más cómodo e imbuirlo de una mayor carga positiva; quizás la respuesta se encuentre fuera de nuestro nivel actual de conocimiento.

El cuerpo de este libro brinda reglas y métodos más funcionales, con algún agregado de misticismo. El capítulo final y los anexos ofrecen información más técnica y mística para quienes deseen avanzar más allá de lo básico.

El feng shui sin misticismo es como un cuerpo sin alma. Los que deseen obtener una visión más profunda encontrarán en los anexos una muestra de las más avanzadas enseñanzas del doctor Lin, los aspectos más profundos de la secta del Gorro Negro del budismo tibetano tántrico. Podría decirse que constituyen, en sí mismas, un ejercicio académico, porque tradicionalmente su fuerza proviene del hecho de ser transmitidas en forma oral, una vez que el experto ha recibido un sobre rojo con dinero.

Todos los consejos brindados en este libro provienen de las enseñanzas de Lin Yun. Confieso que no he corregido la información que pudiera no resultar atractiva al gusto occidental. En efecto, muchos cánticos, rituales y curas tradicionales capaces de desconcertar a algunos lectores son aceptables en la vida moderna de Oriente. Se trata de bendiciones y técnicas personales a menudo practicadas en soledad para poner en marcha un proceso mental positivo. Sea que uno lo denomine charlatanería, voluntad de creer o fuerza del pensamiento positivo, la función de los rituales es aumentar nuestra receptividad de modo que podamos cosechar el máximo de beneficios aplicando el proceso.

El feng shui que predica Lin Yun habla sobre el tratamiento que damos a nuestro entorno inmediato, cómo éste moldea nuestra vida. Al acompañarlo al maestro en su labor, fui viendo que esto es realmente así. La mayoría de nosotros hemos vivido la experiencia de sentir miedo al entrar en algún lugar, o de sentirnos felices en otro. El feng shui intenta definir qué elementos de nuestro ambiente deprimen o elevan nuestro espíritu. También identifica ciertos problemas de diseño y ofrece "curas" sencillas para equilibrar y mejorar nuestro entorno y, con suerte, nuestra vida también.

2

CONCEPTOS
BÁSICOS

PERSPECTIVA DEL FENG SHUI

Los palacios chinos de antaño y las modernas sedes de empresas multinacionales situadas en Asia comparten un mismo principio rector en cuanto al diseño y ubicación de sus
edificios: el feng shui, o el arte chino de la mejor ubicación.
La premisa del feng shui se ha mantenido constante: la bús-

queda del sitio más armónico y auspicioso para vivir y trabajar. Durante miles de años, los chinos creyeron que su vida estaba mágicamente ligada a su entorno, que ciertos lugares eran mejores, tenían más suerte y eran más sagrados que otros, y las características del entorno –montañas, ríos, caminos, paredes y puertas– podían influir sobre la persona. Así, llegaron a la conclusión de que si una persona cambiaba y equilibraba el medio que la rodeaba, podía mejorar su vida. Como explica Lin Yun, "Yo adapto las casas y oficinas para que armonicen con las corrientes del chi", refiriéndose a la energía y el hálito cósmico del hombre. "La forma de las camas, la forma y altura de los edificios, la dirección de los caminos, la orientación de las esquinas: todo esto modifica el destino de una persona."

Si bien los registros que se tienen del feng shui se remontan al siglo IV a.C., es probable que sus conceptos y su práctica hayan comenzado siglos –si no milenios– antes, cuando los agricultores chinos se asentaron en los valles del río Wei y el Amarillo. Las principales preocupaciones eran la supervivencia y los cultivos. Ambos dependían del capricho y de los ciclos del cielo y la tierra: la lluvia, las inundaciones, el sol, las heladas, la sequía. Para los chinos, su destino estaba estrechamente entrelazado con las facultades creativas y destructivas de la portentosa naturaleza, y su fortuna dependía de la misteriosa acción del universo entero. Buscaban, entonces, la armonía con las fuerzas de la naturaleza. Percibían el cielo y la tierra como poderes animistas –a menudo dragones– que inhalaban y exhalaban el chi, una energía intensificadora de la vida.

Se veneraba el paisaje. Las religiones, filosofías y poesía de la China, como también los pergaminos de paisajes, solían reflejar un deseo de capturar el poder, la belleza, el equilibrio y la inmortalidad de la naturaleza, y de identificarse con ellos. Para los chinos, ir en contra del curso de la naturaleza a la larga perjudica al hombre. Por eso, cuando construían una ciudad, un camino o una granja, ponían un gran empeño en no alterar la carne de la tierra. Para sobrevivir, prosperar y no perjudicar a un dragón de la tierra, recurrían a los chamanes que, cual varitas adivinatorias, buscaban el chi para determinar cuál era el lugar óptimo para

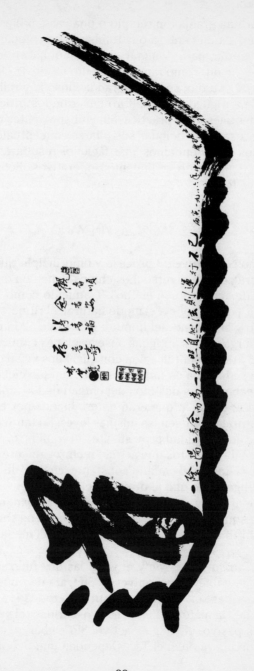

TAO

39

emplazar una granja, un templo o una casa, o bien para levantar una ciudad entera o la tumba de un antepasado.

Hoy en día, para dominar el feng shui hacen falta años de capacitación, como también talento intuitivo. Durante el período de estudio, se incorporan la filosofía y religión chinas de la antigüedad. Este libro describe los procedimientos elementales de la práctica. Sin embargo, antes de hacerlo, es necesario mencionar sus pilares conceptuales. Cuanto más los comprendamos, más fácil nos resultará aprehender sus reglas y procedimientos operativos. Echemos un vistazo al *Tao*.

EL TAO Y EL YIN-YANG

El Tao constituye un proceso y un principio que vincula al hombre con el universo. Los chinos tienen un dicho: "Todo está de acuerdo con el Tao". Traducido como "camino" o "senda", el Tao refleja el modo natural, el ritmo eterno del universo y el camino del hombre dentro de él. El concepto de Tao surgió de las antiguas observaciones chinas de la naturaleza y de la identificación con ella. Ellos veían que la naturaleza se hallaba en flujo constante aunque cíclico, y que sus cosechas y sus destinos dependían de los modos de la naturaleza; es decir, que eran determinados por ella. Hombre y naturaleza siguen las mismas leyes. En tanto *principio,* el Tao es una totalidad proveniente del equilibrio, una unión armónica de opuestos que actúan recíprocamente. En tanto *proceso,* el Tao es el cambio constante, cíclico, de opuestos que se engendran uno al otro: el ciclo anual del verano que conduce al invierno y regresa al verano. Llegando a entender los esquemas del Tao, los expertos del feng shui buscan el equilibrio a fin de lograr la armonía con el medio que nos rodea.

Del Tao surgen el *yin* y el *yang,* las dos fuerzas primordiales que gobiernan el universo. Se trata de opuestos que se complementan, y juntos constituyen todos los aspectos de la vida y la materia. El yin es la oscuridad, el yang la luz; el yin es pasivo, el yang es activo. Sin embargo, cuando se unen, son la armonía: el Tao. Dependen uno del otro: sin el frío, no existe el concepto de *calor;* sin nuevo no hay viejo, sin vida no hay muerte.

El yin también existe dentro del yang, y el yang existe dentro del yin.

YIN Y YANG

Los chinos vinculan el cielo, la tierra y el hombre a través del Tao, dividiendo todas las cosas en dualidades que se complementan. El concepto de yin-yang une a los humanos con su entorno, ya se trate de una vivienda o una oficina, una montaña o un río, la tierra y hasta el cosmos. Si uno domina las conexiones, como enseña a hacerlo el feng shui, puede mantener el equilibrio interno y mejorar su fortuna y su destino.

Por ejemplo, en viviendas y oficinas es deseable que haya un equilibrio entre yin y yang. La influencia del Tao y del yin y yang intervienen en casi todos los aspectos del diseño. El feng shui trata de encontrar y crear un hogar armónico, y así brindar a sus ocupantes buena salud y equilibrio emocional. La idea de equilibrio es más profunda que la de mera simetría. Alinea una casa o a una persona con los elementos naturales y hechos por el hombre, creando así un flujo pacífico, armonioso, dentro del entorno. Por ejemplo, una casa que mira a un lago –en consonancia con los elementos naturales– tendrá un efecto más positivo que otra, ubicada simplemente en el medio de un terreno cuadrado suburbano. Sin embargo, si ese lago (yang) es tan extenso que abruma a la casa (yin), debe instalarse una roca o jardín colgante para armonizar tales elementos. El Tao también interviene cuando hay que resolver la forma torpe de una habitación o una vivienda. En ese caso, puede usarse otro elemento –una luz, una planta o un espejo de interior– para restituir el equilibrio arquitectónico.

EL CHI

Según el profesor Lin, hay muchas influencias que afectan el curso de nuestra vida: la suerte, el feng shui, el destino, las buenas acciones que crean el buen karma, como también el esmero, el estudio y el propio refinamiento. Pero el elemento más importante del feng shui es el chi, que se traduce como "hálito" o "energía".

El chi es un principio unificador de energía que vincula todas las cosas, desde el poderoso golpe asestado por un experto en artes marciales hasta la pincelada del calígrafo, el flujo del agua o la forma de una colina.

El chi es el principal factor que afecta la vida humana, la energía o fuerza que crea montañas y volcanes, dirige ríos y arroyos, y determina los colores y formas de árboles y plantas. También se lo denomina "puntos de dragón", que se asemejan a las sendas de energía que transitaban los druidas en Europa. En el feng shui, el experto explora buscando vetas de chi bueno o "nutritivo", que luego canaliza y refina para enriquecer la vida y el chi de los residentes.

En los humanos, el chi es el espíritu o fuerza vital que sostiene al cuerpo: el aspecto exterior que presentamos y nuestro modo de actuar, de movernos y de hablar. Nuestros movimientos se rigen por el resplandor del chi y la manera en que lo orientamos, haciéndolo atravesar nuestro cuerpo. Si el chi no puede circular por nuestras piernas, quedaremos paralizados. Si no puede fluir hasta nuestras manos, no podremos mover los dedos. Si no puede llegar hasta el corazón, sobrevendrá la muerte.

EL CHI

El chi está con nosotros desde que nacemos hasta que morimos. Para los chinos, la concepción no es sólo la unión del óvulo y el espermatozoide. También existe una forma embrionaria de chi denominada *ling*, que son minúsculas partículas (o cargas moleculares) transportadas por el aire, que circulan en el universo, y en el momento de la concepción entran en el vientre materno. Cuando el bebé nace, su ling se convierte en su chi. Cuando morimos, nuestro chi ingresa al caudal infinito de ling.

El chi es diferente en cada persona. Es algo que nos mueve, que puede fluir hacia arriba o hacia abajo. El chi determina si nos paramos erguidos, si somos desgarbados o si cojeamos.

Lo ideal es contar con un chi equilibrado que circule serenamente por todo el cuerpo. Debería fluir en dirección ascendente hacia la coronilla, y crear un aura similar a la aureola de Cristo. Si el chi resulta bloqueado o es desparejo, el cuerpo lo reflejará. Por ejemplo, si constantemente me arqueo en dos del dolor de estómago, llegará un momento en que quedaré agachado permanentemente, y eso reflejará un flujo inadecuado del chi dentro del cuerpo.

Los expertos observan la forma en que uno se sienta, se mueve y habla para percibir el flujo del chi dentro de nuestro organismo. Los movimientos del cuerpo, la postura, la expresión facial, la claridad de los ojos, el grado de tensión de los labios, el tono de la piel y la cadencia al hablar reflejan la dirección y el flujo del chi. Por ejemplo, los ojos vivaces y luminosos indican una mente activa, con muchas ideas.

Desde tiempos inmemoriales los chinos creen que el chi puede influir sobre nuestro destino y relaciones sociales. (El tema de los atributos físicos específicos y variaciones del chi humano se trata en el Anexo 2.)

El feng shui afecta nuestro chi. Luego de analizar el flujo del chi, un experto como Lin Yun puede usar el feng shui para ayudar a una persona a "desatar" los nudos que la alejan de la felicidad y le impiden concretar sus objetivos y sus esperanzas.

Sin embargo, existen limitaciones. Los chinos creen que cada persona nace con suerte buena, mediana o mala, y que cada uno tiene fases altas y bajas. No obstante, el cultivar el chi puede mejorar la mediana suerte de una persona, de modo que llegue a ser superior a la buena suerte de otra persona que no hace nada por desarrollar su chi.

Hay varias maneras de realzar el chi humano: la meditación, las relaciones positivas y el entorno saludable, es decir, el feng shui. Si bien el feng shui se ocupa de los tres modos de cultivar el chi, este libro trata fundamentalmente sobre lo que nos rodea: cómo equilibrar el flujo de chi ambiental para mejorar y armonizar nuestra propia energía. (Véanse las meditaciones en el Anexo 2.) El chi de una casa y el humano tienen mucho en común. Ambos deben fluir sin tropiezos. Por ejemplo, el chi de algunas personas es más atractivo, e instintivamente nos sentimos más compenetrados con ellas. Puede ser que el chi de otras personas nos produzca rechazo, y evitemos el contacto social con ellas. El chi de una casa también afecta su atmósfera, y por ende también a sus ocupantes. En algunos lugares nos sentimos cómodos, felices, y en otros, ansiosos o deprimidos. Algunos sitios dan la impresión de ser radiantes y alegres; otros parecen fríos, húmedos y sobrecogedores. Todas éstas son características del chi de una casa.

El objetivo subyacente del feng shui es poder moderar y mejorar el flujo del chi. El buen fluir del chi en una vivienda mejora el chi de sus moradores. El concepto de chi es fundamental para evaluar cualquier casa, oficina o terreno, como también todos sus elementos interiores y exteriores. Los expertos en feng shui actúan como médicos de dolencias ambientales, que perciben el pulso y la circulación. Tratan de crear un entorno sereno, equilibrado y fluido. Por ejemplo, si tres o más puertas o ventanas se hallan alineadas una tras otra, expulsarán el chi con demasiada rapidez. Un carillón de viento, estratégicamente colgado, moderará el flujo del chi. Por otra parte, es preciso cuidarse del chi opresivo y encerrado de un pasillo oscuro y angosto, porque puede inhibir las posibilidades de sus moradores de hallar éxito en la vida y el trabajo. El uso adecuado de luces y espejos despejará simbólicamente el espacio.

LOS CINCO ELEMENTOS

Junto con el yin y el yang, los cinco elementos constituyen un modo adicional de analizar y armonizar el chi de una persona o una casa. El chi puede dividirse en cinco elementos: metal, madera, agua, fuego y tierra. Estas propiedades y esencias caracterizan a toda la materia. A los cinco elementos se los asocia con los colores, los tiempos, las estaciones, las direcciones, los planetas, los órganos del cuerpo, etcétera. (El feng shui usa el ciclo cromático para adaptar el chi humano (véase Anexo 2). Por ejemplo, al agua se la asocia con el negro –cuanto más profunda, más negra es–, con el invierno y el norte; el fuego es rojo, verano y sur. Estos elementos se crean y destruyen recíprocamente siguiendo un orden fijo.

45

LOS CINCO ELEMENTOS

Posteriormente se explicarán las aplicaciones cromáticas de los cinco elementos en el hogar. Cuando a estos colores se los ubica en un sector armonioso de una habitación o edificio, pueden mejorar el chi. Por ejemplo, si una familia vive peleándose constantemente, poniendo algo verde cerca del centro de la pared izquierda quizás se logre aplacar los ánimos. (Véanse en el capítulo 8 las zonas simbólicas de una habitación.)

46

AGUA
水
norte
黑
negro

MADERA
禾
este
青
verde

METAL
金
oeste
白
blanco

TIERRA
土
centro
黄
amarillo

FUEGO
火
紅 rojo
sur

五行相生圖

EL CICLO CREATIVO DE LOS CINCO ELEMENTOS

En el ciclo creativo, el fuego produce la tierra (ceniza); la tie-
rra crea el metal (minerales); el metal produce el agua (aun-
que el agua herrumbra el metal, también se forman gotitas de
agua en la parte externa de una copa de metal cuando ésta
contiene líquido); el agua alimenta a la madera, y la madera
ayuda al fuego.

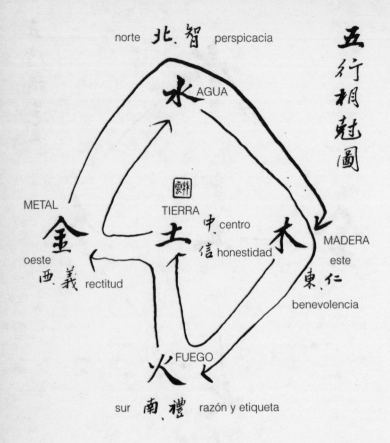

norte 北 智 perspicacia

水 AGUA

五行相尅圖

METAL
金
oeste
西 義 rectitud

TIERRA
土
中 centro
信 honestidad

MADERA
木
este
東 仁
benevolencia

FUEGO
火

sur 南 禮 razón y etiqueta

LOS CINCO ELEMENTOS DEL CICLO DESTRUCTIVO

En el ciclo destructivo, la madera debilita a la tierra; la tierra obstruye al agua; el agua destruye al fuego; el fuego derrite el metal y el metal corta la madera.

EL I CHING

El *I Ching* constituye un instrumento fundamental de las prácticas más místicas del feng shui. El *I Ching* es la madre del pensamiento chino. Nacido de las antiguas prácticas

48

chinas de adivinación, asesoró a emperadores, sacerdotes y
eruditos respecto de lo aconsejable, o no, de las todas las
cosas, ya fuese de librar una batalla o de emprender un viaje. Se trata de un libro en el cual la adivinación y la sabiduría se brindan simultáneamente. Sus trigramas y hexagramas, a la vez que instruyen sobre lo apropiado, o no, de determinado acto, son también estudios sobre la idea del yin
y el yang, y sobre el cambio cíclico constante. Subrayan la
conexión que hay entre el destino del hombre y la naturaleza. Originariamente, los trigramas tenían por fin representar las innumerables cosas del universo; simbolizaban la naturaleza fundamental. Las líneas de los trigramas son el yin
–y el yang–, y juntas conforman el Cielo, la Tierra, el True-
no, la Montaña, el Fuego, el Viento, el Lago y el Agua (véase
Anexo 3). También representan el funcionamiento primige-
nio del Tao, y su perpetuo estado de cambio.

I CHING

Estos trigramas se formaron arrojando bloques de madera, tallos de milenrama y, posteriormente, monedas, que
los antiguos chinos luego usaban para adivinar la suerte,
para recibir instrucciones y sabiduría. (Los sesenta y cuatro

hexagramas del I Ching son todas las posibles combinaciones de los ocho trigramas.)

Con el tiempo, los chinos asignaron otro significado a los trigramas: relaciones familiares, direcciones, estaciones, colores, partes del cuerpo o del rostro, partes de las casas o de las habitaciones. Los trigramas también llegaron a simbolizar ocho fortunas o etapas de la vida, desde el padrinazgo y la ayuda hasta los matrimonios felices.

En consecuencia, los chinos usaron el *I Ching* no sólo para fines filosóficos y de adivinación pura, sino también como un instrumento místico de gran potencia. El *I Ching* aparece en artes tan diversas como la medicina mística, la quiromancia y, desde luego, el feng shui.

En el feng shui, se emplea una forma octogonal y sus ocho trigramas –denominada *ba-gua*– como herramienta mística para diagnosticar los desequilibrios ambientales y de vida. Se trata de una guía para mejorar la salud y aumentar la felicidad y prosperidad. La forma del ba-gua se superpone sobre el plano de una habitación, casa o terreno para determinar qué sector necesita atención. Por ejemplo, una esquina que sobresalga en el rincón derecho más lejano de una habitación puede indicar problemas matrimoniales. El antídoto que se suele recetar –un espejo estratégicamente colgado– puede reparar la relación. La casa con el baño ubicado en la zona de la riqueza bien puede ser que canalice el dinero hacia afuera.*

* A lo largo de este libro, se emplea el ba-gua para interpretar los espacios, y se lo describe en detalle en el capítulo 8. Comprendiendo acabadamente el ba-gua se podrán llegar a apreciar muchas de las otras prácticas de feng shui aquí descriptas.

3

SOLUCIONES

CURAS MÁGICAS BUDISTAS DEL CORAZÓN

Según el profesor Lin, hay dos maneras de resolver nuestros problemas: el *ru-shr* y el *chu-shr*. El ru-shr es lógico, razonable y racional. Es lo que se encuentra comprendido en el ámbito de nuestra experiencia y conocimiento. Este libro contiene muchas soluciones racionales, materiales y sensatas de diseño. Pero igualmente importantes son las curas del chu-shr, que son ilógicas, irracionales, trascendentales o místicas. El chu-shr es la ciencia ficción del presente, aquello que aún se encuentra fuera del reino de la experiencia y el conocimiento, aunque quizás el día de mañana sea una realidad.

RU-SHR

Con su propio tipo de irracionalidad, el profesor Lin afirma que el ru-shr es efectivo en un 10 por ciento, en el mejor de los casos, mientras que los resultados positivos del chu-shr místico se encuentran entre un 110 y un 120 por ciento, queriendo decir que las curas del chu-shr no sólo resuelven áreas de problemas sino que también las enriquecen. Por ejemplo, si un matrimonio tiene desavenencias, el consejo normal es que ambos sean más pacientes, comprensivos y cariñosos. Eso es el ru-shr: algo lógico, sensato y fácil de aceptar. Pero por mucho que quieran respetarse y ser cariñosos para solucionar sus desencuentros, los resultados son efectivos apenas en un 10 por ciento. Si utiliza el chu-shr, la pareja tal vez sólo tenga que mover su cama unos centímetros hacia un lado. Ese gesto al parecer irracional e ilógico –un acto de fe, tal vez, o el comienzo de un proceso inconsciente de sanación– producirá resultados mucho más positivos que el ru-shr.

El feng shui de la secta del Gorro Negro sigue siendo un misterio. Sus aspectos de ru-shr corren parejos con muchas ideas modernas de la física, la medicina y el diseño armonioso. Su enfoque de chu-shr abarca la gran extensión que se halla fuera del mundo conocido y dentro de nuestro inconsciente: lo que aún queda por descubrir, comprender o ver.

El objetivo que persigue el feng shui del chu-shr es mejorar el flujo del chi. De hecho, el concepto de canalizar, equilibrar y realzar el chi constituye la meta final del feng shui. La lógica que lo sustenta es que, cuando el chi ambiental mejora, esto mejora el chi humano, lo cual brinda salud, felicidad y buena suerte.

EL CHU-SHR

En la medida en que se lo puede categorizar, el chu-shr funciona a través de tres técnicas básicas:

1. El *método chi de la conexión* utiliza el chi que está demasiado lejos de una casa o enterrado muy en lo profundo de la superficie terrestre. Un recurso sencillo para salir del paso es plantar en la tierra una vara hueca con una luz en la punta para canalizar el chi hacia arriba. Otro ejemplo: una casa a la que le falta una esquina parece incompleta; si existe allí cerca un cobertizo, la construcción de un sendero que conecte ambas edificaciones completará simbólicamente la forma de la casa.

2. El *método de equilibrar el chi* pone al ambiente en armonía consigo mismo y su entorno. Si una casa tiene una forma poco agraciada, se le puede agregar un detalle de paisaje o arquitectónico para alcanzar el equilibrio. Por ejemplo, una casa con un garaje que sobresale a la izquierda obliga a los residentes a que, cuando salen de ella, tengan que caminar diez o doce pasos a la izquierda para entrar en el garaje. Esto siempre los desequilibrará, los obligará a "pensar en izquierdo". Si se construye un sendero o se ponen piedras a la derecha se equilibrará el diseño, y se abrirá simbólicamente un nuevo camino, y por ende, habrá nuevas oportunidades también.

3. El *método sobresaliente* puede a la vez aumentar y modificar el chi. El agregado de una luz intensa, de una fuente o de una pecera puede activar un chi estancado o débil, y ayudarlo a circular por la casa. Por el contrario, el chi fuerte y peligroso puede dispersarse mediante el movimiento o con artefactos musicales, como por pueden serlo los carillones y las campanas. Por ejemplo, si demasiado cerca de la puerta de entrada hay una pared que asfixia el chi y las oportunidades de progreso personal, uno puede colgar un espejo en la pared para crear sensación de profundidad, o bien instalar una campana o una luz que se encienda cuando se abre la puerta. Eso elevará el chi de los residentes, y la inhibidora pared dejará de afectarlos.

LAS NUEVE CURAS BÁSICAS

Hay remedios básicos para cambiar, moderar o elevar el chi. Usadas dentro y fuera de un edificio, estas curas pueden satisfacer una cantidad de necesidades: resolver desequilibrios, mejorar la circulación del chi y realzar una de las ocho zonas del ba-gua del *I Ching,* y por ende, la correspondiente situación de vida. (Véase capítulo 8.)

LAS NUEVE CURAS BÁSICAS
1. Objetos luminosos o refractores de la luz: espejo, bola de cristal, luces
2. Sonidos: carillones de viento, campanas
3. Objetos vivientes: plantas (reales o artificiales), bonsai, flores, acuario o pecera
4. Objetos en movimiento: móvil, molino, fuente, calesita
5. Objetos pesados: piedras o estatuas
6. Objetos accionados mediante electricidad: aire acondicionado, equipo de audio, TV
7. Flautas de bambú
8. Colores
9. Otros

Cada cura tiene sus características y usos particulares; un molino puede dispersar el "chi asesino" de un camino, mientras que las flautas bien instaladas pueden aliviar el efecto opresivo de una viga del techo.

Sus atributos específicos funcionan de la siguiente manera:

Objetos luminosos

Espejos Llamado la aspirina del feng shui, el espejo cura una multitud de males, tanto exteriores como interiores.

En la parte externa de un edificio, desvía el chi peligroso, ya sea que provenga de un camino que apunta hacia él, de un edificio contiguo excesivamente alto o de una casa de sepelios. El espejo devuelve ofensivamente el chi maligno, y defensivamente brinda protección. Cualquier tamaño sirve.

Las paredes espejadas, habituales en la arquitectura contemporánea, también ayudan a desviar el entorno negativo. Quienes deseen eliminar de plano las abrumadoras fuerzas podrían probar con un espejo cóncavo, que refleja las imágenes invertidas. Si un camino apunta hacia una entrada, colgar el espejo sobre la puerta.

Dentro de una casa o una oficina, los espejos cumplen muchas funciones. La regla general es que, en los interiores, "cuanto más grande el espejo, mejor". Los espejos no deberían cortar la cabeza a las personas; si están demasiado bajos, producen jaqueca y disminuyen el chi de los residentes. Si están demasiado altos, ponen incómodas a las personas. Deben ser siempre grandes lunas, no mosaicos de pequeños trozos espejados que distorsionan la imagen. Si se los ubica adecuadamente de modo de reflejar hacia adentro agradables panoramas de agua o de jardines, hacen entrar al interior el buen chi externo, la luz y el paisaje. En un ambiente reducido, el espejo puede facilitar el flujo del chi y crear la ilusión de amplitud y luminosidad. También deben servir para que la persona que se halla de espaldas a la puerta pueda ver reflejado a cualquier intruso. Los espejos pueden equilibrar una casa o una habitación en forma de L. En un negocio, si se los cuelga en el mejor lugar, pueden hacer aumentar las ganancias.

Bolas de cristal facetado Estos prismas redondeados son habituales en el feng shui. Semejantes a la bola lisa de cristal que usa el adivino, se cree que confieren al ocupante de una casa el don de la sagacidad y la perspectiva. Pueden mejorar el chi de una vivienda u oficina, resolver simbólicamente desequilibrios de diseño y realzar las posiciones del ba-gua. Como refractoras de luz o de energía, transforman el chi peligroso –tanto interior como exterior– y lo dispersan por toda la habitación. Así, se convierten en fuentes simbólicas de potencia y energía positivas. (Una bola de cristal, colgada en una ventana del lado oeste, convierte el resplandor del sol en un arco iris de colores refractados.) También se las usa para mejorar el caudal del chi o elevar el chi de la vivienda, mejorando de ese modo la vida de sus moradores.

Las bolas de cristal tienen usos especiales como objetos rituales. Si se las cuelga en un templo cerca de la imagen de Buda, adquieren facultades especiales. Bendecidas por una persona religiosa de alta energía espiritual, transformarán la luz en potencia y energía, y emanarán de ella un mantra y una gracia que colmarán la habitación.

Luces Las luces son potentes curas del feng shui. La luz misma es considerada una ventaja importante del feng shui en cualquier ambiente. Una lámpara o reflector que se instale en la parte exterior de una vivienda en forma de L puede compensar la falta de una esquina. Si se las instala en el punto más bajo de una colina, pueden impedir que el chi y el dinero salgan rodando por la pendiente del terreno. En los interiores, las lámparas –que simbolizan el sol y la difusión de energía– pueden enriquecer el chi interno. Por regla general, cuanto más intensa la lámpara, mejor.

Sonido

Carillones Suelen ser moderadores del flujo del chi, pues dispersan el chi maligno interior y exterior. Al chi de un camino, por ejemplo, o de un monte, lo atenúan y le imprimen una nueva dirección, más benéfica y equilibrada. Si se los cuelga de un alero, simbólicamente elevan el chi de un hogar. Se los puede usar para atraer chi positivo –y dinero– a una casa o negocio. Cuando se los cuelga próximos a una entrada, actúan de alarma que advierte sobre el posible ingreso de intrusos en una habitación o una tienda. Luego de padecer un robo a mediados de la década de 1970, un Banco californiano instaló, siguiendo el consejo de un experto en feng shui, una campana en la puerta que daba al sector de trabajo de los cajeros, y que sonaba cada vez que alguien entraba. Por primitivo que haya sido el sistema de seguridad, lo cierto es que desalentó a posibles ladrones, porque desde entonces no se volvieron a repetir los atracos.

Objetos vivientes

Plantas y flores Las plantas –reales, de seda o plástico, los bonsais perennes o anuales– no sólo simbolizan la naturaleza, la vida y el crecimiento sino que también conducen el chi nutritivo por una habitación. Funcionan de muchas maneras. Las plantas indican el feng shui bueno; donde prospera una planta o una flor, lo mismo sucederá con las personas. Si se las ubica a ambos lados de una entrada, crean y atraen el buen chi. Colocadas en el interior y el exterior de restaurantes y tiendas, constituyen sutiles faros que atraen clientes y dinero. Además de dar vida al chi interior, las plantas pueden resolver problemas de diseño tales como los ángulos agudos en una habitación, esquinas que sobresalen dentro de un ambiente o espacio de almacenamiento inutilizado.

Las plantas artificiales y flores de seda son sucedáneos efectivos en ambientes interiores, porque sus hojas no se ponen marrones, no pierden los pétalos. Puesto que las flores artificiales no necesitan mantenimiento, los residentes –salvo que tengan una afición especial por la jardinería– no necesitan enfrentarse con símbolos de envejecimiento y muerte.

Peceras y acuarios Al igual que las plantas, constituyen microcosmos de la naturaleza, específicamente del mar, sinónimo de vida. Y el agua –esencial para el cultivo del arroz– simboliza el dinero. (Los chinos usan la expresión *feng-shui* [viento-agua] como término cotidiano para nombrar el juego por dinero, es decir, la actividad que "hace volar el dinero".) Por eso, cuando no se tiene a la vista un panorama donde haya agua, los chinos usan acuarios y peceras para evocar el chi nutritivo y proveedor de dinero. Los peces, los frutos del mar, enriquecen aún más un hogar u oficina. En las oficinas, los peces se usan para absorber la mala suerte y los accidentes, a punto tal que, cuando mueren, en el acto se los reemplaza. Se considera que los más efectivos son los acuarios o grandes peceras con aireadores que, cual fuentes, estimulan el chi.

Objetos móviles

Los artefactos movidos por el viento o la electricidad, tales como los móviles (de interior), trompos y molinetes, y las veletas (de exterior), también estimulan la circulación del chi y desvían la fuerza abrumadora de caminos y largos pasillos.

Fuentes interiores o exteriores y géisers artificiales Las fuentes y los géisers también son microcosmos activadores del chi y del agua, que produce dinero. Tienen atributos protectores; la fuerza del agua dispersa, por ejemplo, el "chi asesino" de un camino semejante a una flecha. Las fuentes también crean un chi activo, positivo. En el mundo de los negocios se las usa para aumentar las ganancias.

Objetos pesados

Piedras o estatuas A veces un objeto pesado, como podría serlo una piedra o una estatua, puede ayudar a estabilizar –si está bien ubicado– una situación inquietante; por ejemplo, conservar un empleo o a un cónyuge.

Energía eléctrica

Se usan las máquinas eléctricas para estimular el medio que nos rodea; por ejemplo, un televisor en el sector de "profesionales" de un bar o determinado equipo en el lugar de las "personas serviciales" de una fábrica (véase capítulo 8).

Flautas

Las flautas poseen muchas significaciones simbólicas y religiosas. Históricamente se ha usado la flauta de bambú para anunciar la paz o alguna otra buena nueva, y por extensión, su presencia trae paz, seguridad y estabilidad a un hogar, oficina o negocio. Con su interior hueco, segmentado, la flauta de bambú eleva simbólicamente el chi de la casa, sector por sector. Si se cuelgan de una viga dos flautas atadas con cintas rojas, una inclinada hacia la otra y por ende creando una formación de ba-gua (octogonal) parcial, pueden hacer circular chi hacia arriba de segmento en segmento, y moderar el efecto opresivo de la viga, con lo cual se permite que el chi la atraviese. (Las boquillas deben ponerse hacia abajo.) Las flautas también son protectoras. Simbolizan espadas y se las cuelga en casas, restaurantes y negocios para ahuyentar a los espíritus malignos y potenciales ladrones. También tienen usos rituales. Cuando se las usa para tocar música, robustecen el chi del hogar y levantan la moral. Si uno las sacude, alejan a los malos espíritus.

Colores

Los colores pueden aplicarse a zonas diversas de una habitación o un edificio para realzar aspectos de la propia vida. Los chinos consideran a ciertos colores más auspiciosos que otros. Un experto en feng shui elogió un restaurante chino pintado, cosa desusada, de negro por tratarse del color del elemento agua, que tiene connotaciones de dinero (véase capítulo 8). Sin embargo, en general se evita el negro porque también significa pérdida de luz. El rojo, empleado en las bodas y otras celebraciones chinas, es un color auspicioso. El blanco –color del luto para los chinos– se evita. En los sepelios chinos, los parientes visten con prendas de sencilla muselina para expresar un humilde dolor. El amarillo, el color del sol, representa la longevidad. El verde, color de la primavera, significa crecimiento, frescura y tranquilidad. El azul es un color ambiguo, y representa el cielo. Si bien es auspicioso, a veces, tal vez debido a su frialdad, también representa la muerte.

Otros

El feng shui usa además un espectro de curas personales para solucionar otros problemas. Las curas siempre están aumentando y cambiando para resolver nuevos problemas.

- Cintas rojas para puertas con picaportes que golpean
- Una guarda para disimular y resolver una viga torcida
- Tiza debajo de la cama para curar los dolores de espalda

4

LA UBICACIÓN

EXTERIORES

Según el feng-shui, nuestra posición en el universo afecta nuestro destino.

La teoría que subyace a la práctica del feng shui sostiene que cuando estamos correcta y armoniosamente ubicados en el universo, tanto el equilibrio como la armonía bendecirán nuestra vida; cuando uno se halla en el flujo con las poderosas obras de la naturaleza y el cosmos, se benefician la propia salud y estado mental. El hecho de recrear los esquemas de la naturaleza cuando ubicamos un edificio o acomodamos sus habitaciones y mobiliario imbuirá a sus ocupantes de energía positiva y equilibrada, y dicha energía se transportará a lo largo de un curso de vida provechoso e impensado. Si, por el contrario, los ocupantes están mal ubicados –en relación con los ritmos naturales del universo– la vida de ellos estará desequilibrada, en constante lucha.

Los elementos exteriores –forma de montañas y ríos, árboles e hitos locales, tanto naturales como hechos por el hombre– contribuyen a determinar el curso de nuestra vida. Por ejemplo, el ser humano reacciona ante una buena vista o panorama –de árboles, flores o agua– como también ante formaciones desagradables o amenazadoras, como podrían serlo caminos, esquinas o edificios de mal diseño. El presente capítulo brinda los principios básicos del feng shui externo, y muestra cómo los emplazamientos exteriores repercuten notablemente en los interiores.

ELEMENTOS NATURALES

Si bien se desconocen los orígenes del feng shui, lo más probable es que haya comenzado en la antigüedad, cuando los agricultores trataban de adaptarse y vivir en armonía con las fuerzas de la naturaleza. Desde épocas remotas los expertos en feng shui han constituido una casta muy especial. Saben observar la base de una columna tratando de encontrar la humedad de la tierra, mirar el anillo que rodea a la luna para obtener un pronóstico meteorológico y hasta analizar lo verde y saludable de una planta para así saber la fertilidad de determinada zona. Realizando observaciones de esta índole, podían aconsejar correctamente cuándo y dónde edificar una casa. Todo esto lo combinaban con la psicología y cierto gusto por lo místico... y lo misterioso. En su afán por encontrar los sitios más productivos y bendecidos donde vivir, descubrieron que las casas construidas en

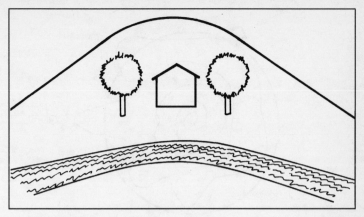

UN EMPLAZAMIENTO FENG SHUI IDEAL

la mitad de una colina, mirando hacia el sur y el mar, eran las mejores. Allí, protegidas de los rigurosos vientos del norte y de las inundaciones, con acceso al agua y el sol, los cultivos y el ganado prosperaban; los moradores, por su parte, se sentían cómodos y lograban un buen nivel de ingresos. Su éxito relativo, en comparación con el de sus esforzados vecinos, parecía provenir de la ubicación y orientación auspiciosa de sus casas. Para ellos era una utilización ventajosa de las corrientes de viento y agua, como también la adecuada canalización del chi positivo. Pasado un tiempo, otros imitaron ese emplazamiento, para lo cual encontraron colinas similares, o se radicaron cerca de ellas. Pero cuando resultaba difícil hallar las circunstancias ideales, los antiguos chamanes usaban su talento para señalar el camino, y así percibían y creaban los puntos más bendecidos por la suerte posibles.

Con el correr del tiempo, se originó la teoría de que el chi circula en la tierra, dando vueltas y vueltas en espiral. Cuando gira cerca de la superficie, la tierra es fértil, el clima es benigno y hay mucho sol. Los árboles y las plantas crecen. El agua y el aire son frescos y claros. Las personas se sienten cómodas y felices. Ése es el mejor lugar para levantar una casa. (Cuando el chi se aleja de la superficie, la hierba, las frutas y verduras no pueden crecer, y surge un desierto.) (Véase diagrama.)

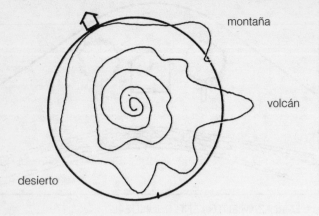

montaña

volcán

desierto

CIRCULACIÓN DEL CHI DENTRO DE LA TIERRA

El objetivo y los principios del feng shui moderno siguen siendo los mismos: encontrar el mejor entorno para que una persona pueda trabajar y vivir con el máximo de su potencial. Un experto en feng shui evalúa los contornos del terreno y el chi de la tierra para ubicar todo, desde una casa para una familia hasta inmensos edificios de oficinas.

Sin embargo, el desarrollo urbano no puede interferir con el feng shui. Las personas que reconocen una zona auspiciosa quizás edifiquen sus casas en las inmediaciones. Estas nuevas construcciones pueden bloquear una vista o contaminar un arroyo, con lo cual cambian los atributos positivos convirtiéndolos en negativos. Aquí también entra en juego el feng shui. En vez de mudarse, de iniciar un juicio o de derribar casas y construir otras más altas, los chinos recurrieron a soluciones más sutiles pero efectivas: las curas del chu-shr. Por ejemplo, puede colocarse estratégicamente un espejo mirando hacia el edificio que molesta, o bien realizarse un ritual especial para recrear una atmósfera positiva. (Véase Anexo 1.)

Cuando se trata de elegir un terreno o una casa, los expertos en feng shui analizan sus alrededores. Durante miles de años han descifrado signos y augurios, tales como el tamaño y color de una hoja, la prosperidad de los vecinos o la salud general de los animales. He aquí diversos elementos a considerar para descubrir el chi de la tierra:

1. *Hierbas y plantas:* Si la hierba es verde, el chi es bueno y saludable. Los puntos marrones, amarillos o pelados en el césped dan a entender que el chi se aleja de la superficie. Es preciso buscar los "puntos de dragón" –zonas de un color verde intenso, donde la vegetación es espesa y floreciente–: allí es donde se debe edificar.

2. *Prados:* Los prados pletóricos de césped, flores y árboles son signos de un abundante chi. Evitemos comprar tierras donde hay plantas enfermas o muertas, o donde no florecen las flores.

3. *Animales:* La presencia de animales domésticos o salvajes es indicativa de un buen chi. Observando su salud, aspecto, color y sonidos, los expertos en feng shui evalúan la propiedad. Los signos auspiciosos son un pájaro bello y pacífico, de colorido plumaje y hermoso cantar, o bien un gato de pelaje espeso y brilloso. Los cuervos, otras aves chillonas y los perros de feo aspecto indican un chi negativo. Se valoran los ciervos, símbolos de prosperidad.

4. *Vecinos:* A menudo los moradores reflejan el chi de la tierra. Lin Yun sostiene que, si nuestros vecinos son prósperos y famosos, nuestro chi es bueno. Cita como ejemplo Beverly Hills, un lugar donde los barrios atractivos atraen a gente de éxito. De la misma manera, si uno quiere alquilar un local y descubre que los propietarios de tiendas vecinas quebraron, se enfermaron, murieron, tuvieron un accidente de auto o se divorciaron recientemente, o que en la acera de enfrente una tienda fue asaltada y otra se incendió, quizás habría que replantear nuestra decisión.

5. *Signos de chi malo:* Se trata de presagios de mala suerte y de un chi negativo, incluso acontecimientos momentáneos en ocasión de visitar determinado lugar. Es preciso fijarse en detalles tales como luces quemadas o que explotan cuando uno las enciende, puertas rotas o atascadas, un pájaro muerto en el piso, un coche fúnebre que estaciona afuera, aunque más no sea para que el conductor se baje a comprar un sándwich en un bar, etcétera.

Otro dato a tener en cuenta al ubicar una casa o un edificio son las formas de la tierra. Para los antiguos chinos, la tierra y el cosmos eran un "organismo viviente, que respira";* la naturaleza estaba dotada no sólo de chi, sino también de características humanas y animales. Una montaña podía ser un dragón, un elefante o un fénix; un acantilado podía ser una mandíbula de tigre. Una rama entera del feng shui, la Escuela de Formas, interpreta el paisaje detectando sus conformaciones.

Los dragones, la más habitual metáfora relativa a la montaña en la antigua China, eran considerados guardianes portentosos y benévolos de las aldeas y las tierras de cultivo. A una serie de picos en una cadena montañosa se los veía como vértebras; las estribaciones se continuaban formando brazos y patas; los arroyos eran las venas y arterias que transportaban el chi de la tierra, y unas rocas correctamente ubicadas eran los ojos del dragón.

Otra portentosa fuerza natural era el dragón de agua que habitaba en lo profundo, como una especie de caprichoso monstruo de Loch Ness. Él regía el clima, las mareas y los niveles del agua. Si se lo tenía bajo control, este dragón producía campos fértiles; el agua misma llegó a convertirse en símbolo de dinero. En cambio, si no se lo tenía controlado, era causa de muerte y destrucción.

Montañas y ríos –manifestaciones de un chi vivaz y nutritivo– siempre han sido vitales en el paisaje del feng shui. (Los cuadros chinos de paisajes se llaman *shan-shui,* literalmente, "montaña-agua".) Las montañas eran inmensos escudos con que la tierra protegía a las ciudades y las granjas de los fuertes vientos y de las invasiones bárbaras, provenientes del norte. Los ríos eran proveedores de agua con que alimentar los cultivos.

Los emperadores semidioses obtenían poder del equilibrio entre cielo y tierra, montañas y ríos. Su destino, y el de sus súbditos, estaba ligado a las invisibles fuerzas de la na-

---

* Ernest Eitel. *Feng Shui or the Rudiments of Natural Science in China* (Hong Kong, 1873), p.20.

turaleza. (El destino de un país se llama *shan-he,* literalmente, "montaña-río".) Los emperadores consultaban a expertos en feng shui antes de iniciar grandes obras públicas o de librar batallas. Su derecho a gobernar y la suerte de la nación dependían de que tuvieran, o no, una auspiciosa ubicación entre el cielo y la tierra, cosa que, según creían, producía cosechas abundantes y exitosas campañas militares. Sin embargo, una catástrofe natural podía augurar el hecho de que el emperador perdiera el "mandato del cielo" –queriendo decir que perdían la sincronización con los elementos naturales–, lo cual lo volvía vulnerable a la derrota. Por consiguiente, la naturaleza era observada con atención por parte de asesores imperiales tales como generales, astrólogos, adivinos y expertos en feng shui.

El concepto de feng shui, de la tierra como cuerpo, creó un precursor de lo que en épocas posteriores sería la preocupación por el medio ambiente. Los expertos en feng shui buscaban el chi, el pulso de la tierra, como si fueran médicos que canalizan la energía vital del universo. Los chinos realizaban con mucho cuidado la labor de modificar la carne de la tierra. Ponían un gran empeño en no desequilibrar el chi de la tierra ni en cortar la vena del dragón. La Gran Muralla constituye un ejemplo clásico. De punta a punta, cubre una distancia de mil seiscientos kilómetros, como vuela el cuervo, pero en realidad es el doble de larga pues se la construyó sinuosamente, siguiendo hasta el más mínimo relieve topográfico para no perturbar la tierra, y por ende, la estabilidad de la dinastía Yin (221-207 a. C.).

Por la misma razón, el feng shui fue la ruina de los misioneros y empresarios occidentales del siglo XIX, quienes se quejaban de que esta disciplina interfería con su fervor misionero y desanimaba los sueños capitalistas. Los chinos se escudaron en el feng shui para prohibir las cruces cristianas –pues, según decían, empalaban la tierra– como también para impedir la construcción de ferrocarriles, la instalación de líneas de telégrafos y el restablecimiento de la industria maderera. Según el feng shui, todo esto interfería con la armonía de la tierra.

Cuando los chinos desoían los preceptos del feng shui, padecían consecuencias negativas. Siglos de desforestación en la zona norte de la China dieron lugar a que copiosas lluvias erosionaran un suelo fértil, lo que provocó que las tierras se volvieran áridas.

Montañas

En los entornos rurales y suburbanos, hoy en día se sigue considerando a las formas topográficas, ya sean montañas, colinas o simples lotes de tierra, como afloramientos del chi. Los lugares más codiciados para asentarse son las laderas de las colinas; la tierra plana, sin relieve, carente de buen chi, se trata de evitar. En la China antigua, cuando no se conseguían colinas, se las creaba. Las bermas hechas por el hombre no sólo realzaban el paisaje en la zona del feng shui, sino que también eran muy prácticas, pues conservaban el calor en invierno y permanecían frescas en verano. Las colinas funcionaban como inmensos escudos de tierra y, si una casa se construía al pie de una elevación, además se le plantaban árboles a modo de protección adicional.

En general, se examinan montañas de tres formas habituales: redondeadas, cuadradas o triangulares. Lo preferible es el suave contorno de un montecillo redondeado que baja hasta un valle fluvial. Lo menos deseable es una casa en la cima de un otero cuadrado. Si bien está protegida de las inundaciones, queda expuesta a fuertes vientos. La protección –contra el viento, el agua, el sol de occidente, casas vecinas o caminos en forma de flecha– es una preocupación constante del feng shui. Una colina con forma de sillón, o una formación como de madre abrazando a un niño, brindan protección a la casa por tres costados, incluso si al frente se levanta otro monte de menor altura semejante a un apoyapiés.

Se suele describir a la clásica disposición del feng shui como una especie de zoológico montañoso: la casa queda protegida del viento norte por la montaña de tortuga negra que está en el fondo; a su derecha, el tigre blanco bloquea el maligno resplandor del sol proveniente del oeste; el dragón verde de la izquierda custodia el lugar en caso de que el feroz tigre blanco se descontrole; el fénix rojo que se halla al frente tiene una altura relativamente baja como para no entorpecer el paisaje, pero alta como para proteger al lugar y sus ocupantes (véase diagrama).

Si la colina es irregular, se hace una interpretación simbólica de la forma para crear la buena suerte. Por ejemplo, vivir en una colina que se asemeje a un apoyapinceles de calígrafo es auspicioso para las personas con aspiraciones sociales, políticas y académicas; en una época, el hecho de pasar los exámenes imperiales era, hasta para un humilde empleado, el modo de alcanzar un puesto encumbrado en el gobierno. Otras formas auspiciosas de montañas son aquellas que se asemejan, por ejemplo, a una cabeza de león o al rostro de un potencial Buda. Uno puede utilizar estas interpretaciones simbólicas para su propio provecho.

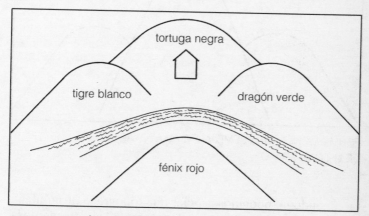

CONFIGURACIÓN MONTAÑOSA DE SILLÓN Y OTOMANA

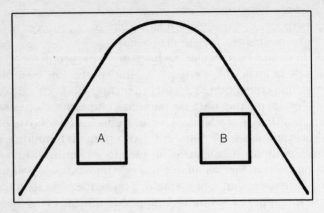

COLINA TRIANGULAR

Si una colina es triangular y tiene aspecto de conchilla de almeja, compremos el lote A o el B, que se apoyan sobre el músculo de la almeja, conservando el chi y el dinero.

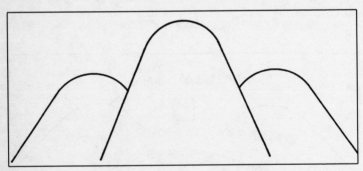

FORMA MONTAÑOSA SEMEJANTE AL APOYAPINCELES
DE UN CALÍGRAFO

Cuando no podemos asociar una topografía de montaña con imágenes auspiciosas, podemos modificar levemente la forma para crear la buena suerte. Al resolver una forma despareja, creamos la mejor situación para el todo. Por ejemplo, si un monte se parece a un dragón descabezado, podemos construir una casa, lo cual completará al animal, y al mismo tiempo brindará armonía a la zona, al mejorar tanto su propio chi como el de sus moradores. La casa también ubica a sus ocupantes en la zona de pensamiento y de control (véase la siguiente ilustración).

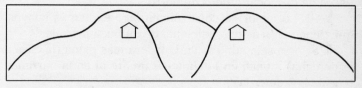

MONTAÑAS DE DOS DRAGONES

Estas elevaciones crean la imagen de dos dragones jugando con una perla. Para alentar la buena suerte, se debe construir una casa cerca, o bien instalar postes de luz en los ojos de los dragones.

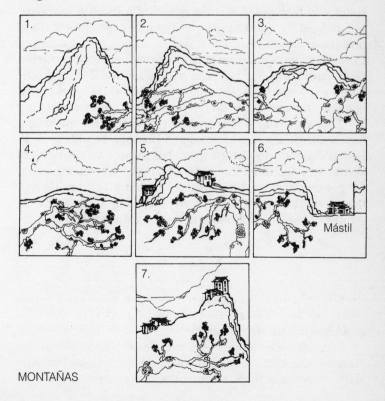

MONTAÑAS

Las ilustraciones de la página anterior muestran una selección de formas de colinas:

1. Por regla general, evitar los montes empinados y las laderas que transportan el chi con demasiada rapidez, capaces de provocar aludes de barro.

2 - 4. Lo mejor es construir en las pendientes suaves, que tienen el beneficio adicional de un buen drenaje.

5. Se aconseja edificar en la ladera más plana (la casa a la derecha); nunca en la cima del monte ni en la barranca (casa a la izquierda).

6. La orientación de la casa es un importante factor a tener en cuenta. La casa que da la espalda a la montaña y mira a una pendiente suave es deseable. La ubicación de casas que se muestra en las laderas número 2, 3, 4 y 6 es buena siempre y cuando las casas den la espalda a la montaña. Una casa que mire hacia la montaña será perniciosa para la salud y el trabajo de sus ocupantes. Un camino que pase por el frente y que sea más alto que la casa aumentará el problema.

CURA. Si la casa mira hacia la montaña y el espacio trasero es un jardín, hay que poner una luz direccional al fondo del jardín y orientarla hacia la parte superior de la casa, o bien instalar un mástil al fondo del jardín para equilibrar el chi.

7. No construir por encima ni por debajo de una saliente, una formación inestable conocida como mandíbula de tigre, porque de lo contrario la bestia se comerá nuestra suerte. Al edificar en una ladera más plana, lo mejor es optar por una casa baja, de apenas una o dos plantas. Un edificio muy alto resultará opresivo para el chi terrestre. Evitar también construir en lo alto de una cuesta empinada.

Ríos

Por lo general, una casa ubicada cerca del agua, o que tenga una vista del agua, prosperará. Lo ideal es que dé a una laguna, a un río o al mar.

El análisis de los ríos –las vías de comunicación de los antiguos asentamientos chinos– es, desde tiempos inmemoriales, todo un arte. Sus configuraciones dieron pie a innumerables especulaciones, por tratarse de elementos potencialmente sustentadores de los cultivos y el comercio, y potencialmente devastadores para granjas y viviendas. Un río sinuoso era muy deseable, puesto que podía irrigar un sector más amplio de terreno. Un río recto o con curvas pronunciadas es peligroso; al no haber nada que regule su fuerte correntada, el chi atraviesa tan rápido una zona, que no la puede enriquecer.

También es importante la *calidad* del agua. Debe ser vital –limpia y activa, signo de vida, de chi puro–, no muerta. El agua estancada o sucia es índice de chi y dinero contaminados.

CURA. Para atraer al agua lejana, colgar un espejo que, cual imán, atraiga el chi y las oportunidades de ganar dinero. Un artista gráfico neoyorquino comprobó que, después de un mes de tener colgado un espejo sobre su cama para atraer las aguas del río Hudson, recibió un 40 por ciento de aumento de sueldo en un empleo que tenía desde hacía apenas tres meses.

Las ilustraciones de la página de enfrente muestran distintas formaciones de ríos que afectan de diversas maneras el feng shui de una casa.

1. Primero, verificar en qué dirección está orientada la casa y lo cerca que se halla del agua. Se considera bueno que mire al río, y por consiguiente, la familia tendrá una buena situación económica. Una casa que dé la espalda al río es menos auspiciosa; sus ocupantes verán muchas oportunidades, pero no lograrán aprovecharlas.

CURA. Instale un espejo dentro de la casa mirando al río para atraer todo el chi positivo del río.

Lo ideal es que la distancia entre la casa y el río equivalga al doble de la altura de la casa. Si la casa es pequeña, puede ocurrir que resulten socavados los cimientos del hogar, tanto literal como figuradamente. La familia se sentirá abrumada por el chi del río, y padecerá enfermedades. Si la casa es amplia y alta, se la considera bien equilibrada con el río.

2. Los moradores disfrutarán de una buena situación económica, máxime si la edificación mira al río. La casa es abrazada por el agua, que simboliza el dinero.

3. Si el río se aleja de la casa en sentido invertido, los re-

sidentes pueden ver posibles ganancias, pero jamás podrán adquirirlas (a diferencia de lo que ocurre con una bahía marina).

CURA. Instale un espejo dentro de la casa para que refleje el agua.

4. La casa orientada hacia una cascada trae buena suerte.

5. Otro aspecto importante a considerar es en qué dirección corre el río. El hecho de que corra hacia la puerta de entrada de la casa se considera bueno. Si embargo, si el cauce mayor se aleja de la casa, sus moradores padecerán pérdidas económicas. (A veces es necesario consultar a un experto en feng shui –o consultar un mapa– para determinar el curso de un río).

6. Auspiciosa configuración del río, puesto que abraza al hogar.

7. Esta configuración es inestable, y por ende la situación económica de sus residentes es despareja. Por una parte, pueden ver el éxito; por la otra, no pueden alcanzarlo (río invertido). No obstante, el sector del río que abraza a la casa trae buena suerte, por lo cual la persona que allí habite tendrá que luchar, pero a la larga saldrá triunfadora.

8. Una buena ubicación es en la confluencia de dos arroyos y tener una isla enfrente, sobre todo si detrás de la casa se levanta una suave pendiente. Sin embargo, si la pendiente es pronunciada, puede disminuir la buena suerte de los ocupantes.

9. Esta casa tiene una buena ubicación puesto que resulta abrazada por un codo de río.

10. Lo mejor es la casa en una bahía, pues el dinero puede entrar allí. Si bien la casa emplazada en una península puede ser buena para las finanzas de una familia, no debería estar excesivamente expuesta a los elementos, porque de lo contrario será difícil retener el dinero.

11. Este río puede traer buena o mala suerte, según la dirección de su curso. Si corre hacia la casa, es buen presagio, pero el efecto será menos positivo si fluye alejándose. No obstante, hasta esto es mejor que la posibilidad de que no hubiera agua en absoluto.

12. Ésta puede ser una buena configuración si el agua fluye hacia la casa, y no tan buena si se aleja.

RÍOS

13. La casa resulta amenazada por este río. Sin embargo, si el agua es apenas un canal artificial de aguas muy tranquilas, la casa tendrá buena suerte.

EL PAISAJE HECHO POR EL HOMBRE

A medida que fue creciendo la civilización y que, por necesidad, el hombre modificó el paisaje con caminos y edificios, surgieron nuevos problemas de feng shui, y ellos dieron origen a reglas para armonizar el ambiente. A menudo las viejas reglas demostraron poder adaptarse a los tiempos modernos. Los caminos y las sendas de acceso transmiten el chi de manera similar a los ríos; las rutas sinuosas son las mejores. A la forma de los edificios y los terrenos se les asignan atributos simbólicos de las montañas; los edificios contiguos a una casa, muy superiores a ella en altura, son peligrosos, y en algunos casos puede interpretarse que determinado terreno tiene forma de almeja.

Sin embargo, la labor de ubicar una casa ya no depende sólo de ríos y montañas, de agua y viento. Las formas y las barreras artificiales –caminos, forma del terreno, edificios vecinos, árboles, sendas de acceso– tienen importantes repercusiones sobre los moradores. No obstante, en ambientes urbanos y suburbanos, el feng shui y sus curas se rigen por los principios de equilibrio, moderación e intensificación del chi.

Terrenos

Son preferibles los de forma cuadrada y rectangular, pero también se tienen en cuenta la altura, el ancho, y el grado y dirección de una pendiente. Aun en la montaña, es mejor un terreno plano que uno con declive. Por regla general, si el terreno tiene una loma, conviene ubicar la casa en la parte más alta. Sin embargo, cuando la pendiente parte desde la casa, puede ocurrir que el chi, las oportunidades y el dinero se deslicen hacia abajo.

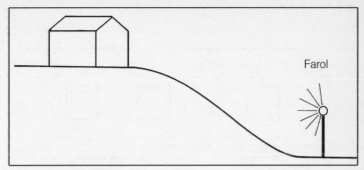

Farol

CASA EN UNA LOMA

CURA. Para equilibrar los puntos altos y bajos de un terreno desparejo, instalar una lámpara o farol que hagan circular el chi y el dinero, y lo traigan de vuelta.

Debemos evitar la cima de una colina, pues la casa quedaría expuesta a fuertes vientos. Los lotes de forma trapezoidal deberían tener el extremo más angosto hacia atrás, lo cual representa una extraña metáfora combinada: su forma de "cesto de basura" recoge el buen chi que resulta arrojado ahí adentro. También se lo puede ver como un terreno en forma de almeja, de modo que la casa debería edificarse en el músculo de la almeja para retener el chi y el dinero.

Si es más angosto al frente, el futuro de sus moradores se irá haciendo cada vez más estrecho.

CURA. Crear una curva al frente empleando flores, un sendero de ladrillos o un camino de acceso, de modo que la forma se asemeje a un monedero.

Los terrenos de formas irregulares constituyen un desafío aún mayor para el experto en feng shui. Sin embargo, la forma despareja puede volverse auspiciosa y vital mediante un manejo creativo. Los lotes de formas desusadas pueden ser perturbadores para los residentes, de modo que, para corregir las imperfecciones, puede utilizarse el "método del equilibrio". Por ejemplo, en el caso de la forma atípica de la imagen inferior de la página 79, con un farol y unos cercos se completa la forma, volviéndola más compacta y creando la imagen de un escorpión, lo cual aumenta el potencial de los moradores. (Véase ilustración siguiente.)

77

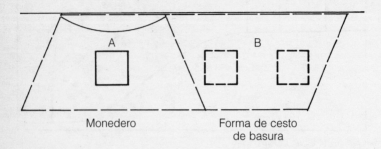

Monedero   Forma de cesto
                            de basura

TERRENO DE FORMA TRAPEZOIDAL

Cuando la parte más angosta está adelante, hay que crear una
curva al frente, o bien un camino de acceso, usando flores o
ladrillos para que la forma se asemeje a un monedero, donde
se guardará dinero y chi.
Si el terreno es más ancho adelante –es decir, si tiene forma
de conchilla–, construir la casa en lo que sería el músculo, de
modo de retener allí el dinero y el chi.

Cómo ubicar la casa en un terreno

La relación entre un edificio y el camino crea la unión a
través de la cual entran en una casa la oportunidad, la riqueza y la salud. La distancia entre el camino y la casa debería ser como mínimo la mitad del largo total del terreno.
De lo contrario, sus ocupantes se sentirán agobiados por el
camino y deberán luchar en todos sus emprendimientos.
CURA. Instale un reflector o una fuente entre la casa y el camino, con lo cual enviará el chi hacia arriba. Otra posibilidad sería instalar un pequeño molino de viento en el techo,
o de lo contrario –pese a ser un método menos eficaz– colgar un carillón o un espejo sobre la casa.
La posición de la casa debería complementar al terreno.
La mejor situación se da cuando una casa anida en el tercio
central de un terreno. Es preferible el tercio del fondo y no
el del frente.

CURA. Si la casa no se halla en la mitad del terreno, plante un árbol o instale un farol o una piedra voluminosa en el extremo opuesto del terreno para equilibrar la casa.

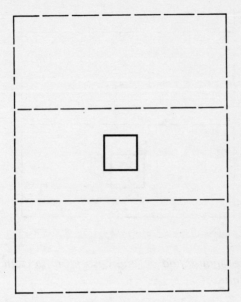

Posición ideal de una casa en un terreno

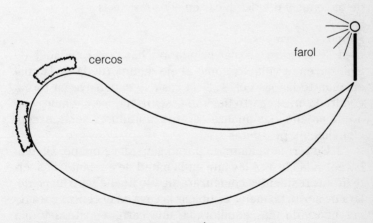

FORMA EQUILIBRADA DE ESCORPIÓN

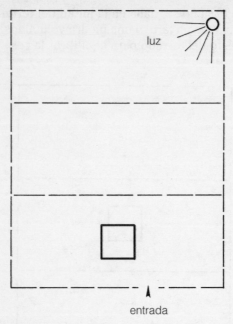

luz

entrada

Posición no equilibrada de una casa en un terreno resuelta con una lámpara

Las siguientes ilustraciones representan una variedad de terrenos y dónde ubicar en ellos las casas.

Formas de terrenos.
1. El terreno circular brinda muchas oportunidades de avanzar en la vida. Es como el eje de una rueda de la cual emanan todas las cosas. Si la casa se construye en forma cuadrada en el centro del lote –asemejándose al dinero chino de antaño– las finanzas de sus moradores serán excepcionalmente prósperas.
2. Un terreno cuadrado por lo general es bueno. Sin embargo, si la casa se levanta en la mitad de adelante, la suerte de sus residentes comenzará siendo buena pero luego dejará de serlo. Lo mejor es ubicar la casa en el centro para tener una vida más equilibrada, una carrera exitosa y una gran prosperidad.

CURA. Instale luces direccionales en el centro del sector posterior del terreno y en cada esquina de la parte delantera (véase el capítulo 8 sobre las Tres Armonías), y oriente los haces de luz hacia el techo.

3. Un rectángulo es básicamente igual que un cuadrado. Si la casa se halla en la mitad delantera del terreno, use la cura ya descripta para los cuadrados.

4. Esta forma, con el frente redondeado, se considera prudente y tiene potencial de crecimiento, por lo cual atraerá el dinero y el éxito. Si el terreno es redondeado en la parte posterior y la casa se levanta en el centro o en el fondo, los residentes llevarán una vida equilibrada. Si la casa se alza en el tercio delantero del terreno, sus ocupantes tendrán una carrera profesional inestable, y con frecuencia caerán enfermos.

5. El rombo es propicio. Una casa construida en el sector medio o anterior del terreno ayudará a que sus moradores vivan un rápido desarrollo profesional. Si la casa se halla en el sector trasero, el desempeño laboral o profesional será estable, pero no prosperará de manera rápida.

6-7. Una casa puede levantarse en un terreno romboidal si está paralela a los costados y si la entrada al terreno no se encuentra en una esquina.

CURA. Si la casa está orientada hacia un ángulo, equilíbrela con un árbol alto, un mástil o un reflector ubicado al fondo de la casa. De lo contrario, los moradores serán demandados en juicios, sufrirán accidentes e incluso desastres en gran escala.

8. No es conveniente que una puerta mire hacia un ángulo en un terreno triangular. La puerta de la casa debería estar orientada hacia la base del triángulo. El mejor sitio para la casa es en el músculo de esta simplificada configuración de almeja, para poder retener el dinero. Si la casa se halla en el centro y mira hacia el ángulo, el camino económico de sus residentes se volverá más angosto y terminará bruscamente. La siguiente generación también fracasará, sin la menor esperanza de éxito.

CURA. Instale un mástil o una planta para contrarrestar y ocultar la esquina.

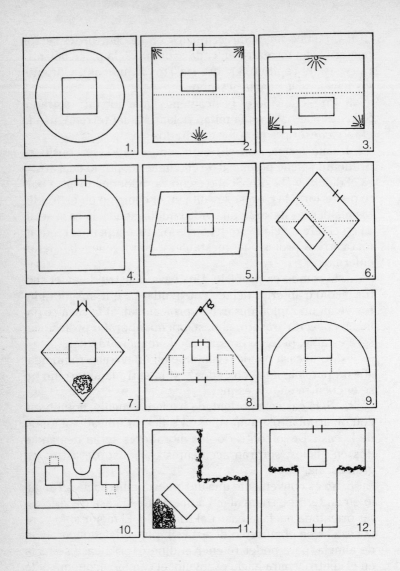

FORMAS DE TERRENOS

9. El terreno semicircular es muy bueno, máxime si la casa se levanta en el medio para imitar la mitad de una moneda china.

10. Cuando la forma del terreno se asemeja al lomo de un camello, la casa debe construirse en el centro, si es que el centro es lo suficientemente ancho. (El frente del lote debe ser el doble de ancho que el alto de la casa.) La casa no debe estar en ninguna de las dos gibas. Si se halla en la giba izquierda, la familia sufrirá; si está en la derecha, los hijos tendrán problemas.

CURA. Amplíe el sector del dormitorio principal correspondiente a la "familia" (cura de la giba izquierda) o a los "hijos" (cura de la giba derecha). (Véase capítulo 8.)

11. Un lote en forma de L o un lote al que le falta una esquina pueden ser poco auspiciosos, como si a la vida de sus moradores les faltara un tramo.

CURA. Si la casa no está ya construida, ubíquela en forma oblicua con respecto a la esquina principal, y por lo menos a seis metros de la esquina. Detrás de la edificación plante un árbol o instale una lámpara y plante algo a lo largo de la esquina faltante para que llegue el éxito pese a la forma poco feliz del terreno. El hecho de ubicar la casa a escuadra en el terreno producirá una suerte sumamente inestable, que de pronto fluctuará de muy buena a muy mala.

CURA. Cuando cave en el terreno, mezcle en un bol una cucharadita de té de ju-sha con noventa y nueve gotas de vino y arroz crudo. Arroje granos de arroz alrededor del perímetro. Use los Tres Secretos (véase Anexo 1).

12. Fíjese dónde ubica la entrada en un lote en forma de T. Si la ubica en la base del trazo largo conseguirá promover su carrera profesional o laboral pero desalentará el aprendizaje, y los moradores comprobarán que los demás no están dispuestos a ayudarlos. Si la entrada se halla a lo largo del trazo que cruza la T, se producirán efectos adversos en el matrimonio y las finanzas de sus residentes.

CURA. Plante enredaderas en la base del trazo corto de la T.

Caminos

Al igual que los ríos, los caminos proveen chi. Las calles y paseos con suaves curvas que siguen los contornos naturales son sumamente apropiados para transportar el flujo del chi. Las avenidas y autopistas demasiado rectas conducen el chi a demasiada velocidad, y son en potencia peligrosas. Esto se conoce como chi de flecha o "asesino". Tradicionalmente, las casas ubicadas al fondo de un callejón sin salida constituyen un blanco para el chi asesino, y son menos deseables que las que flanquean la calle. El hecho de estar en la línea de fuego del chi semejante a una flecha propio de ese camino dejará expuestos a los residentes a los intensos faros de los vehículos, como si fueran ojos de tigres que acechan en la noche.

CURA. Cuelgue sobre la puerta un espejo orientado hacia la calle, o bien instale una fuente o algún dispositivo giratorio entre la calle y la casa.

Senderos de acceso

El camino de entrada a una casa constituye un importante conducto a través del cual el chi conecta a un hogar con la arteria principal de un camino. Lo mejor es que el diseño sea serpenteante, y que se acceda desde un nivel relativamente plano desde la calle, con lo cual se filtra el chi negativo del exterior, que quedará afuera. Un sendero semicircular también es bueno. Fíjese el lector en qué forma entra y sale de la casa. Cerciórese de salir en el sentido preponderante del tránsito. Si la calle o camino va hacia la ciudad, salga por el lado del semicírculo más próximo a la ciudad, y entre por el lado contrario o suburbano. He aquí algunas variaciones:

Un sendero en forma de horquilla delante de la casa significa que el padre y el hijo discutirán y la casa se hallará en discordia; cada uno querrá ir por su propio lado.

CURA. Pinte líneas de puntos color rojo o coloque ladrillos cruzando el sendero de acceso.

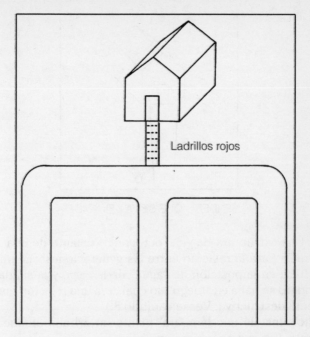

Ladrillos rojos

SENDERO DE ACCESO EN FORMA DE HORQUILLA

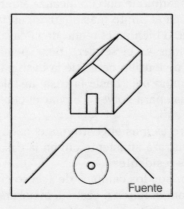

Fuente

SENDERO DE ACCESO
OCTOGONAL

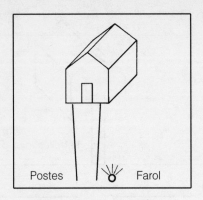

Postes ⚬ Farol

SENDERO QUE SE VA AFINANDO

Una estructura ba-gua (octogonal) delante de una casa es mala para la relación entre las generaciones. (La puerta se halla en la posición de "agua" de la casa, y la salida del sendero se halla en "fuego", lo cual crea una relación mutuamente destructiva. Véase capítulo 8.)

CURA. Instale una lámpara, plante un árbol, coloque una fuente, flores o un molino en el círculo.

Un sendero de entrada que se va haciendo más angosto es representativo de trabajo y oportunidades económicas que merman. La peor de todas las situaciones ocurre cuando es tan empinado que uno no alcanza a verle el fin.

CURA. Instale, en el punto más angosto, un farol orientado hacia la puerta, o bien en el techo de la casa, para reciclar las oportunidades. Si el sendero tiene pendiente, levante dos columnas de ladrillo cerca de la base para que circule el chi. Si el camino baja hacia la casa, instale una lámpara detrás de la casa para volver a enviar el chi hacia el punto más alto del techo.

Si el sendero es más angosto que el ancho de la puerta principal, no entrará suficiente chi en la casa y empeorará la suerte de los residentes.

CURA. Lo mejor son los caminos de acceso circulares. Si en el centro se plantan flores o césped, mejorarán las finanzas de la familia. La mejor disposición es –pese a ser muy improbable– la de nueve o diez círculos o cuadrados uno a continuación del otro. Esta secuencia simboliza las monedas chinas, es decir, riqueza oculta. Diez círculos que abarquen cuadrados representan los diez emperadores de la dinastía Yin. Una sucesión de diez monedas constituye un objeto ritual para alejar al demonio invocando el poderío de todos los emperadores Yin. Asimismo, un cuadrado dentro de un círculo simboliza dinero y la unidad cósmica del Tao. (El cielo es redondo; la tierra, cuadrada).

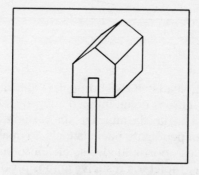

CAMINO DE ENTRADA ANGOSTO

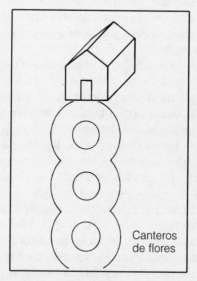

Canteros
de flores

CAMINO DE ENTRADA CIRCULAR

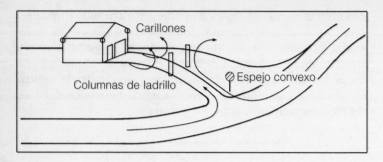

CAMINO DE ACCESO EN HILLSBOROUGH CON CURAS

Esta casa ubicada en Hillsborough (California), vulnerable a diversos cursos de un intenso chi proveniente de una calle orientada hacia ella, muestra una variedad de curas. El camino baja en pendiente hacia la calle, lo cual motiva que el buen chi y las oportunidades se alejen rodando. La cura que inventó la propietaria resuelve ambos problemas: instaló dos columnas de ladrillo a ambos lados del sendero más o menos en la mitad de su recorrido para vencer al chi negativo e impedir que por allí se alejara el bueno. Luego colgó carillones de viento en las cuatro esquinas del techo para elevar el chi de la casa y ayudar a dispersar el fuerte chi negativo de la calle.

En la Ciudad Prohibida –dominio de los emperadores en Pekín–, se colgaron carillones de viento en los aleros de muchos edificios a modo de protección. Por tradición, los techos curvados hacia arriba también servían de protección pues, según se decía, los demonios podían lanzarse desde el cielo, pero la forma de los techos los desviaría, enviándolos de nuevo hacia arriba. Si los demonios volvían a intentarlo, los aleros rematados en punta los empalarían. Dejando de lado la leyenda, este tipo de techo se construía por razones prácticas: para permitir la mayor exposición al sol durante el invierno y para alejar al cálido sol estival. Los techos tienen más pendiente en el sur para impedir el paso del sol, y menos pendiente en el norte, para permitir que sople el viento sin problemas sobre la casa. Las pequeñas bestias que adornan muchos aleros chinos custodian el lugar, según se cree, contra la acción de incendios, fantasmas y ladrones.

En la residencia de Hillsborough, el ángulo agudo que obligadamente debía describir un auto al salir del sendero creaba una situación peligrosa que a la larga desequilibraría el chi de los residentes. La dueña instaló entonces un espejo convexo para facilitar el acceso visual y reflejar continuidad con la calle, lo cual permitió una fácil circulación del chi. "Ahora puedo ver la casa por el espejo –comenta–. Es como si el chi me atrajera hacia adentro."

Entrada / Salida

La entrada exterior de un edificio –el umbral entre la casa u oficina y el mundo exterior– constituye el factor principal del feng shui. Si bien el feng shui tradicional hacía hincapié sobre la orientación de la puerta de entrada, el uso que hace del feng shui la secta del Gorro Negro se centra en cómo los diversos entornos que llevan hasta la entrada pueden incidir sobre la vida de los moradores. La entrada es un preludio de cómo nos sentiremos una vez que hayamos ingresado en el edificio, y determina la manera en que encaramos el mundo cuando hemos salido de la casa. La entrada debe ser agradable y accesible, y la salida debe presentar una vista clara y una senda despejada. Es preciso eliminar los obstáculos próximos a la puerta, tales como columnas, árboles, paredes o postes de servicios públicos, que impiden el flujo del chi y ponen vallas a la buena salud y las oportunidades de adquirir riquezas. Sin embargo, la presencia de un árbol o planta a una distancia razonable de la entrada suele servir de protección.

Los senderos producen un efecto similar. Si están próximos a la casa pero son muy angostos, el chi de los moradores se inhibirá y desequilibrará.

CURA. Ensanche el sendero y evite plantar cerca de él arbustos o árboles voluminosos. También puede colgar un carillón móvil frente a la puerta.

He aquí algunos otros ejemplos:

1-2. Por regla general, las mejores entradas producen un

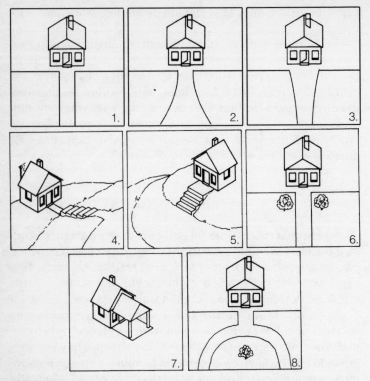

ENTRADAS

efecto espacioso, de amplitud. Los senderos que parten de una casa deben abrirse hacia afuera.

3. Un sendero angosto coartará las perspectivas laborales y económicas de los ocupantes. Si la casa se halla en una loma, es preferible que la entrada mire hacia una pendiente descendente que hacia una ascendente.

4-5. Si hay escalones, éstos deben ser graduales y no muy altos. La puerta debe abrir sobre un ancho descanso. Los peldaños angostos y empinados hacen que el dinero ruede alejándose de la casa. Los escalones que bajan hacia una casa son malos, lo cual se traducirá en que la vida laboral de los residentes sea una constante lucha cuesta arriba. Para remediarlo, hay que instalar una lámpara o reflector apuntado al techo.

6. Los arbustos son buenos pues aumentan el chi de la casa. Deben ser plantas sanas y no estorbar el paso en los senderos; si se los deja crecer por demás, habrá que podarlos.

7. Si bien un porche puede ser una simpática vía de acceso a una casa, hay que tener cuidado con las columnas que puedan estorbar. Los pilares y columnas no deben ser muy grandes ni estar cerca de la puerta. En general son preferibles las columnas redondas y no las cuadradas, capaces de producir quebrantos económicos. Para solucionar el problema de una columna cuadrada, plántele enredaderas en los bordes. Un pilar opresivo puede curarse poniendo un espejo a la altura de los ojos, o escribiendo sobre su superficie la leyenda: "Al marcharse, reciba bendiciones".

8. Los senderos que llevan a una puerta pueden ser curvos. Un arco parejo es deseable, como lo son también las plantas que pudiera haber entre ambos lados.

Árboles

Los árboles y el follaje aumentan aún más el paisaje del feng shui y cumplen varias funciones. Si se los planta a modo de cerco, constituyen una protección contra el chi asesino (los vientos malignos, el ruido y la contaminación del tránsito). También pueden resguardar la casa de una multitud de vistas ominosas, como por ejemplo, cementerios, iglesias y calles que, como flechas, apuntan directamente a la casa. En una cuesta, los árboles y arbustos impiden la erosión de terrenos fértiles y hasta los aludes de lodo. Por el hecho de ser una entidad con vida, la mera presencia de un árbol mejora el chi de un terreno o de una zona. Las plantas con hojas de un verde intenso son signos del chi bueno, tonificante. Los árboles también representan la fuerza de vida de los moradores. Las variedades perennes –tradicionales símbolos de longevidad– son preferibles a las de hojas caducas, que en invierno parecen muertas.

Los árboles pueden emplearse para restituir el equilibrio de un terreno de forma desusada o de un edificio disparejo. Si el edificio tiene forma de L, por ejemplo, un árbol puede compensar simbólicamente la estructura, dándole integridad. No obstante, si se ubica mal a los árboles, directamente delante de la entrada de la casa o de una ventana, pueden resultar destructivos y sofocantes. Esto inhibe el ingreso del chi desde afuera y perjudica al chi de los residentes.

CURA. Si bien algunos chinos escriben caracteres de la buena suerte –"Al marcharse, reciba bendiciones"– a la altura de los ojos, en los árboles que estorban, para recibir un saludo de buenos presagios al marcharse, también puede dar buen resultado un espejo de ba-gua pues atravesará simbólicamente las características opresivas del árbol. Trate de no plantar arbustos con espinas u hojas puntiagudas cerca del lugar de paso de las personas.

Dado que constituyen una de las Nueve Curas Básicas, los árboles son empleados a menudo para corregir imperfecciones de un terreno o de la forma de una casa. Con las siguientes ilustraciones se muestra cómo los árboles son capaces de mejorar –y a veces de arruinar– un paisaje.

1. La presencia de este árbol es benéfica. La posición de la entrada a la casa y del camino de acceso determinará qué parte de la vida de una persona resulta realzada por el árbol. Si la entrada está en el lado A, el morador será famoso; en el lado B, la familia prosperará; en el lado C, el desempeño laboral de los residentes será destacado, y en el lado D, los hijos prosperarán. (Véase capítulo 8.)

2. En general es aconsejable tener un árbol detrás de la casa, sobre todo si ésta da la espalda a una montaña. A medida que el árbol crece, el hogar disfrutará de una mayor estabilidad, y poco a poco irá mejorando la vida de los residentes.

3. Estos árboles son particularmente importantes cuando protegen a la casa de todo lo que recuerde a muerte. Si se los ubica frente a una iglesia, la casa puede acumular la mala suerte proveniente de los responsos y servicios fúnebres. De no existir la protección de los árboles, los moradores serán propensos a las enfermedades, a la mala suerte y a repentinos e inesperados hechos adversos. Esto es producto de un exceso de chi yin.

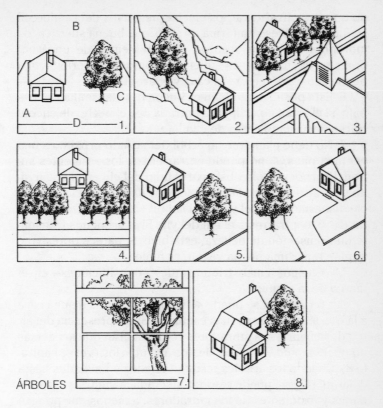

ÁRBOLES

4. Esta configuración es positiva pues los árboles, que dan la impresión de estar montando guardia en la propiedad, impiden que la perjudiquen los efectos adversos que provienen de la calle. Es preciso plantar árboles sanos y robustos en hileras de 3, 6 ó 9 ejemplares. Un árbol muerto simboliza la decadencia del chi de los moradores. En efecto, los árboles pueden representar nuestra suerte y destino. Si uno de ellos muere, presagia un acontecimiento triste; puede ser que suframos alguna peripecia, tengamos un accidente o incluso que haya alguna muerte en la familia.

5. Este árbol es bueno para los residentes si su distancia con respecto a la casa no resulta opresiva. Si el camino apunta directamente a la casa, el árbol la protege del chi asesino. Una vez más, la proporción es importante. Si el árbol es demasiado voluminoso o se halla demasiado cerca,

no puede contrarrestar los efectos negativos del camino. El sendero de acceso en forma de arco trae buena suerte a los moradores y puede resolver los problemas de un árbol opresivo si su ancho es suficiente como para permitir una buena separación entre la casa y el árbol.

6. Esta posición también es buena para la familia y el trabajo, si el árbol no eclipsa la entrada por el hecho de encontrarse demasiado cerca de ella.

7. No debe plantarse un árbol demasiado próximo a una ventana pues, si no puede entrar el sol, los residentes sufren. El árbol no sólo obstruye el flujo del chi en el hogar sino que, arraigado, en la tierra (el yin) hace salir a la superficie demasiado chi del yin. Si el sol (el yang) penetra con sus rayos, se contrarresta el chi del yin. Si el árbol nos transmite una sensación de belleza, está bien. Si parece opresivo e impide tener una buena visión, es malo.
CURA. Cuelgue cinco triquitraques –o imitaciones– en el marco de la ventana.

8. Con árboles se puede solucionar la forma de una casa a la que le faltan uno o más esquinas. Sin la presencia del árbol de la figura, sus moradores comprobarán que los demás no pueden o no están dispuestos a ayudarlos (véase capítulo 8). Cuando los árboles resultan talados o hachados hasta dejar un raigón, puede resultar afectada la vida, las extremidades y los dientes de los moradores, a menos que pongan en práctica esta cura: plantar hiedras y, a medida que éstas crecen, envolver con sus guías el raigón. Al talar un árbol, hay que mezclar una cucharadita de té de ju-sha con noventa y nueve gotas de una bebida alcohólica recién descorchada; rociar luego la mezcla alrededor del árbol usando los Tres Secretos. Así las personas quedarán protegidas contra posibles daños a sus extremidades, huesos y dientes. (Véase Anexo 1.)

Lagunas

Las lagunas también afectan el feng shui. Es bueno contar con algún lago o laguna en una propiedad o cerca de ella, pues ayudan a los dueños a alcanzar más altos niveles de prosperidad. Los propietarios deben ocuparse de que el agua –que simboliza dinero– esté limpia, y más aún, que haya en ella abundancia de peces. Las aguas lodosas, estancadas, representan ganancias mal habidas; los peces traen buena suerte.

El tamaño y ubicación de un lago debe equilibrarse dentro del terreno. El lugar ideal es cerca de la casa, para que sus moradores se beneficien con el chi del agua. Sin embargo, si está demasiado cerca o es excesivamente grande, la casa padecerá fuertes ráfagas de chi que le producirán todo tipo de desgracia. La sobredosis de chi del yin, unida a la humedad, trae problemas de piel y pulmonares. También debilita el chi de los moradores, por lo cual éstos tendrán dificultad en descollar dentro del ámbito laboral o profesional.

CURA. Para hacer más larga la distancia que separa a una casa de un lago, una a ambos con un sendero sinuoso. Para

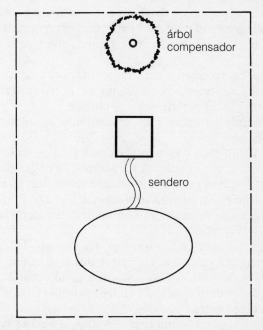

Curas para un lago que está demasiado cerca de una casa o que es demasiado grande en relación con el tamaño de la vivienda.

aplacar un lago demasiado amplio, instale un farol, arme un conjunto de rocas o plante un árbol del otro lado de la casa, el que no da al lago. Esto equilibra y prolonga el territorio de la vivienda, a la vez que dispersa los efectos malignos del potente chi del lago.

Las piscinas siguen las mismas reglas que los lagos. Las mejores son las que tienen forma arriñonada, con la curva hacia la casa. Si la forma es rectangular, evite que un ángulo apunte directamente a la casa. He aquí algunos ejemplos.

1. Los residentes serán afortunados y adquirirán renombre, sobre todo si compensa la fuerte influencia del lago con dos reflectores apuntados hacia la casa.

2. Los moradores encontrarán a muchas personas ansiosas por ayudarlos.

Si hay dos estanques en una propiedad, ambos deben ser del mismo tamaño.

CURA. Construya un puente que los conecte.

4. Esta situación es similar a la de la figura 1, pero el tamaño del lago en el número 4 está equilibrado con la correspondiente casa, y presagia fama y buena suerte en lo económico.

5. Si el lago o estanque describe una curva alejándose de la casa, los moradores tendrán dinero, pero constantemente lo perderán. El dinero se les escurrirá.

CURA. Instale reflectores en las esquinas apuntando al techo de la casa.

6. El mejor lago o estanque es en forma de media luna y envuelve a la casa como en un abrazo. El hogar disfrutará de mayores riquezas; los moradores retendrán su dinero y progresarán en su carrera profesional.

7. Los residentes tendrán un buen desempeño laboral y adquirirán renombre.

8. Los ocupantes tendrán un matrimonio feliz y éxito académico. No conviene construir una isla ni una glorieta en la parte derecha del lago, porque de lo contrario, cuando uno de los cónyuges pase su tiempo en la casa, el otro lo hará en otra parte.

9. Si un lago o piscina tiene ángulos, o bien es rectangular con una de sus esquinas apuntando hacia la casa, los moradores se enfermarán o perderán dinero.

CURA. Instale una fuente o plantas para proteger a la casa del ángulo.

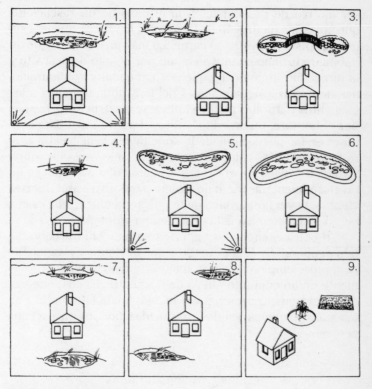

LAGOS Y ESTANQUES

PAISAJE URBANO

Si bien el feng shui urbano trata de seguir las normas tradicionales campestres o suburbanas –vista de parques, árboles, agua, césped y colinas, para no mencionar terrazas con arreglos paisajísticos–, la naturaleza juega un papel mucho menor en la característica auspiciosa, o no, de un emplazamiento de ciudad. El feng shui urbano gira en torno de nuevos puntos de interés. Las características hechas por el hombre –edificios, puentes y calles– predominan sobre los elementos naturales: los altos edificios reemplazan a las montañas; los caminos reemplazan a los ríos. No parecen ser motivo de preocupación ni el peso de un rascacielos que aplasta a un dragón de tierra ni el hecho de que una súperautopista atraviese su carne. Lo más probable es que un habitante urbano resulte afectado por el flujo del tránsito y la dirección de una calle que por el caudal y configuraciones de un río. (Algunas reglas del feng shui atinentes a los elementos naturales pueden aplicarse a estructuras hechas por el hombre. En un edificio alto, el punto ideal para residir es en las plantas del medio, que tienen la necesaria altura para evitar los ruidos y luces de la calle, y el peso opresivo de los pisos superiores, y al mismo tiempo están en un nivel suficientemente bajo como para no recibir fuertes vientos, la versión urbana de lo que sería ubicar una casa a mitad de camino hacia la cima de una montaña.)

En consecuencia, los expertos en feng shui urbano deben ocuparse de más elementos que el viento y el agua. Deben, por ejemplo, canalizar, mejorar y desviar el chi proveniente de un conjunto nuevo de elementos físicos, que van desde el tránsito peatonal y vehicular hasta las sombras altas y las esquinas agudas producidas por los rascacielos cercanos.

Casas y oficinas urbanas

Las viviendas y oficinas de ciudad pueden ser víctimas de fuerzas malignas tales como casas de sepelios contiguas, edificios que por su gran altura resultan opresivos o bien esquinas de edificios que pueden apuntar peligrosamente. Un famoso experto neoyorquino en feng shui sostiene que una de las esquinas de la Trump Tower que apunta hacia el nuevo edificio de la AT&T puede causar estragos en la empresa, a menos que ésta se defienda instalando un adecuado espejo bendito de ba-gua.

Caminos y calles

Lo peor son los caminos –por ejemplo un callejón sin salida o una calle perpendicular– que apunten cual flecha a un edificio, como ocurre, por ejemplo, con la Casa Blanca, que se levanta frente a la línea de acción del pernicioso chi de la calle 16. En este caso, no sólo es negativo para el primer mandatario y su mujer, sino también para el país entero. El camino en forma de flecha provoca un clima de disenso nacional y destruye el chi positivo de la zona. En consecuen-

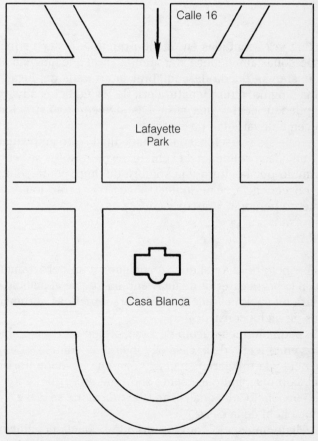

LA CASA BLANCA

cia, el Presidente no puede desarrollar el máximo de su potencial en su gestión de gobierno.

CURA. Si bien una parte de la energía negativa de las calles perpendiculares se compensa con los árboles de Lafayette Park, sería más efectivo instalar una enorme fuente que dispersara el chi. Una cura más sencilla sería un espejo o una veleta en forma de flecha que apuntara a la calle.

Del mismo modo, un puente orientado directamente a la casa ocasionará problemas personales, de salud y económicos.

Vecinos

Una vez asentadas en un sitio que puede ser perfecto, las personas aún deben estar atentas para que ninguna otra circunstancia pueda desequilibrar la armonía del lugar. La forma, ángulo, altura y naturaleza de los edificios adyacentes pueden afectar una casa. Las siguientes ilustraciones ofrecen una variedad de curas.

1. En esta situación, cuando un edificio alto empequeñece a una casa colindante, el chi de los moradores se sentirá oprimido por la altura y la sombra del imponente edificio. En consecuencia, se perjudicará su carrera profesional, crecimiento personal y prosperidad.

CURAS

- Un espejo hexagonal que se cuelgue en un departamento o en la parte exterior de una ventana que dé al edificio enviará de vuelta el reflejo de las características abrumadoras de dicha construcción.
- Un pequeño receptáculo de agua, o bien un espejo ubicados en el techo de la casa devolverán al edificio su imponencia y la reflejarán en el agua en una posición horizontal, como si simbólicamente se hubiera derrumbado. Como beneficio adicional, el agua ayuda a que se eleve y circule el chi de la casa.
- Cuelgue un espejo convexo orientado hacia el edificio, y éste se reflejará invertido.

2. Hay que tomar una variedad de precauciones en el caso de una casa u oficina que estén frente a una institución. De las instituciones, la menos maligna es una escuela, aunque tampoco es la situación ideal. Con una iglesia o templo no habría problemas en la medida en que allí se realizaran, fundamentalmente, matrimonios, o bien si el colegio se utiliza como seminario. Pero si el uso más habitual que se da a una iglesia es para realizar allí responsos y ceremonias fúnebres, los moradores absorberán demasiado chi del yin –el chi de los muertos–, y pueden sobrevenirles desastres repentinos e imprevistos.

CURA. Plante árboles que impidan el paso del chi del yin, o selle las puertas (véase Anexo 1).

3. Cuando su casa esté separada de un edificio por una calle, analice primero el ancho de la calle. Si es lo suficientemente ancha –es decir, tres o cuatro veces la altura de la casa– el edificio alto no producirá mayores efectos. Si la calle es angosta, la casa y la suerte de sus ocupantes resultarán opacados por el edificio. En tal caso, recurra al espejo o agua en el techo (como se aconsejó en el número 1). Una esquina de un edificio cercano que apunte hacia nuestra casa u oficina puede poner en peligro nuestra suerte y oportunidades de éxito. También puede dejarnos expuestos a acusaciones, actos de violencia y posibles operaciones quirúrgicas.

CURA. Cuelgue un espejo en la fachada de su casa, o bien instale una veleta con una flecha que señale en dirección a la esquina en punta. Por ejemplo, siguiendo el consejo de un experto, un empresario canadiense se protege, en Hong Kong, de un edificio peligroso que se levanta en la acera de enfrente. Para eso instaló un espejo en la ventana de su oficina, apuntando hacia afuera. Sin embargo, el espejo queda disimulado detrás de una cortina, para evitar las miradas de terceros y el ridículo. Otra cura consiste en poner una veleta en forma de flecha orientada hacia la esquina.

4. En este caso, la vivienda lindante es de mayor tamaño, y uno de sus ángulos apunta peligrosamente a la casa. Por ende, el vecino se halla en una posición de más fuerza, y los ocupantes de la casa más pequeñas se sentirán abrumados, y a la larga fracasarán en sus empeños. Cuando la casa del vecino es más alta, el problema se complica aún más.

CURA. Plante árboles a lo largo del límite entre ambas propiedades, o bien ponga un reflector en una esquina apuntando hacia la casa más pequeña. Si la casa vecina es más alta, instale un espejo orientado hacia la casa, o bien un mástil de bambú, o un dispositivo giratorio en forma de flecha entre ambas casas.

5. En este caso, en que hay dos esquinas adyacentes, los vecinos discutirán de continuo, y se demandarán judicialmente uno al otro.

CURA. Cada vecino debe construir un garaje o cobertizo adyacente al del otro para crear un armonioso triángulo. (Véase, en el capítulo 8, el tema de las Tres Armonías.)

6. En este caso, los moradores de ambas viviendas disfrutarán de un entorno seguro, estable y pacífico.

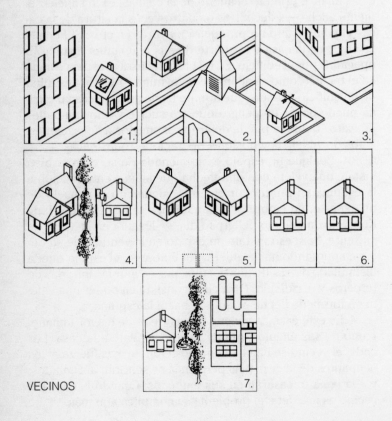

VECINOS

102

7. Si una casa linda con una fábrica, los moradores deben prestar atención a la abrumadora influencia y el mal chi de la fábrica, como también a su contaminación.
CURA. Instale plantas, faroles o mejor aún, una fuente a lo largo del límite.

Establecimientos comerciales

Las tiendas o negocios también deben disfrutar de un positivo feng shui externo. Muchas empresas abonan sobreprecios para obtener una buena vista, en especial de agua. Instalan espejos en lugares estratégicos para que desde adentro se tenga una buena vista, y para aprovechar el buen chi y la oportunidad. El día en que una escritora hizo instalar espejos en su oficina para poder ver en el interior el paisaje de río externo, recibió –según afirma– dos llamados espontáneos de diferentes revistas. Existen otras maneras de crear nuestro propio feng shui bueno. Por ejemplo, en las inmediaciones de Los Angeles, una restauradora instaló una fuente artificial frente a la entrada de su casa en un intento por lograr que su empresa fuera más rentable. Las fuentes constituyen uno de los usos más potentes del agua, que simboliza la circulación del chi y el dinero. Cuando el Hyatt de Singapur pasaba por un período en que tenía pocos huéspedes, la gerencia encendió una fuente que desde hacía tiempo tenía apagada, cambió la posición de una puerta y llevo a la práctica otras tácticas del feng shui. Poco después, debido a unas demoras en ciertos vuelos aéreos, debió alojar a 450 pasajeros, y desde entonces ha trabajado siempre al máximo de su capacidad. Un ejemplo excelente de lo que es la aplicación moderna del feng shui lo tenemos en el edificio del Bank of China, de Hong Kong, diseñado por I. M. Pei (véase fotografía 1). Si bien el edificio tiene una orientación auspiciosa, sobre una loma que da al puerto de Hong Kong, el sitio estaba demasiado expuesto a varios caminos que lo rodeaban. Los arquitectos trataron de crear un entorno positivo, protegido de las influencias urbanas. La influencia auspiciosa y restauradora del agua se incorporó en una secuencia de tranquilos estanques y cascadas alrededor del edificio. Ubicado en medio de plantas de bambú y de membrillo que disimulan los problemas del tránsito, la torre de setenta pisos –la más alta del Asia– descollará en el puerto. Nótese un subproducto no intencional del feng shui del diseño: las paredes empinadas de cristal distorsionan los reflejos y a la vez impiden que lleguen hasta allí las consecuencias de los edificios próximos.

Un importante elemento que el feng shui toma en cuenta es el de atraer negocios. Lo ideal para un establecimiento comercial es estar ubicado en una esquina, con la entrada en diagonal, pues así se atrae el chi, se atraen clientes y dinero provenientes de dos direcciones. Si bien los elementos oblicuos o en sesgo suelen ser indeseables –pues presagian calamidades inesperadas o hechos solapados–, en ciertas circunstancias son útiles. En la China, en un principio las casas de juego utilizaron puertas de este estilo como modo de alcanzar un fin ilícito; brindaban, se sabe, una oportunidad óptima de atrapar el chi de los jugadores y dinero. En años posteriores, el público observó con incredulidad cuando un prestigioso Banco chino con asiento en Hong Kong empleó este mismo tipo de entrada. En Nueva York, la puerta interior de la sucursal del Barrio Chino del Chemical Bank se halla extrañamente oblicua. Si hay una columna justo frente a la puerta, pueden bloquearse los efectos positivos de las puertas en sesgo.

CURA. Si la columna es cuadrada, cuelgue sobre ella un espejo para ayudar a que el chi la atraviese, o mezcle ju-sha en vino y escriba sobre la columna: "Al salir, reciba bendiciones."

Para los restaurantes y la mayoría de los negocios pequeños, la entrada debería ser suficientemente vistosa como para atraer el chi de los clientes. El hecho de poner bellas plantas a lo largo de la entrada es índice de un buen chi, como también lo es colocar atractivos letreros para convocar a los clientes (como advirtió el profesor Lin cuando visitó Le Cirque, un restaurante de Nueva York). Del mismo modo, un objeto móvil como la típica barra giratoria a rayas que usan los peluqueros también atrae clientes. En Burlingame (California), Foto-Foto, una tienda de fotografía y vídeo, trabajaba bien en parte debido a una serie de flechas de neón que tenía en la vidriera, que simbolizaban el chi reciclado, y a un sendero de ladrillo que cruzaba la acera hasta la entrada. En el término de un año, llegó a aumentar tanto su volumen de trabajo, que una tienda de vídeo rival, tres casas más allá, tuvo que cerrar sus puertas.

Otra manera de seducir a los clientes es colgar un din don cerca de la entrada. El sonido del carillón parece más efectivo que los grandes carteles para llamar la atención y atraer a los clientes. Los carillones colgados en las puertas o cerca de ellas también sirven como alarmas, pues alertan a los propietarios sobre la llegada de posibles clientes... o ladrones. En Filadelfia, el Kress- Express –un bar de comida naturista próximo a la Universidad de Pensilvania– comprobó que el trabajo disminuía mucho en verano, y los clientes solían ingresar por una pequeña puerta lateral en vez de usar la entrada principal. Luego de que colgaran din dones en la entrada principal, aumentó notablemente el trabajo. Poco después, el propietario vendió el comercio por una atractiva suma.

Por lo general, se evita la vista de todo lo que tenga que ver con la muerte, pues trae connotaciones de fracaso y decadencia. A las iglesias se las considera vecinas no deseadas pues emiten chi maligno en los responsos y ritos fúnebres. Algunas empresas de Nueva York han llegado a tapar las ventanas que dan a la catedral de San Patricio. Una importadora que vive y trabaja en la Olympic Tower, justo sobre la catedral, colgó en su ventana un espejo para desviar el pesaroso chi de la iglesia y las peligrosas puntas de sus torres en forma de agujas.

Del mismo modo, las empresas fúnebres pueden perjudicar los negocios, como fue el caso de un restaurante ubicado contiguo a una casa de sepelios en Virginia. En ese sitio, varios comercios habían fracasado con anterioridad, hasta que un experto en feng shui sugirió plantar frente a las ventanas arbustos para impedir que los clientes tuvieran la vista de los coches fúnebres. No bien se hizo eso, aumentaron las ventas.

Ubicar un comercio Cuando se trata de ubicar un negocio en una calle, el comerciante debe observar primero el movimiento de los peatones para determinar cuál lado de la calle es el más concurrido. Desde el punto de vista del feng shui, la calle tiene un lado "madre" y un lado "hijo", es decir, respectivamente, un lado colmado y otro menos colmado. Una ulterior observación revelará otros esquemas del chi de la zona. Por ejemplo, para un negocio, tener como vecino en la misma cuadra un cine muy concurrido puede ser propicio. Pero el dueño de la tienda también tendría que determinar cuáles son los caminos más transitados para llegar al cine. Es habitual que se prefieran ciertos trayectos aunque sean más indirectos que otros. En caso de no estar situado en uno de tales trayectos, el negocio podría no beneficiarse de su proximidad con el cine, porque bien podría ser que los espectadores llegaran desde otra dirección. La ruta preferida puede tener un mejor chi, como por ejemplo una que pase por un Banco que posea un cajero automático. La gente prefiere pasar por allí antes de ir al cine para sacar dinero o absorber el chi del dinero, pese a que dicha ruta sea el doble de larga que otra. Otro elemento a tener en cuenta es la dirección del tránsito vehicular. Veamos las siguientes ilustraciones.

1. El negocio número 1 está bien ubicado, pero es menos atractivo que el número 4, cuya puerta se abre sacando provecho de la dirección del tránsito.

2. La puerta oblicua es buena porque atrae desde dos direcciones a personas, a su dinero y chi bueno. También está correctamente orientada para recibir el chi del tránsito callejero. Sin embargo, el ángulo de la columna portante apunta hacia la puerta, dando a los clientes que salen del edificio una incómoda sensación, como de que se bloqueara su chi. Esos clientes no regresarán.
CURA. Espeje los lados interiores de la columna.

3. Ésta es la mejor ubicación para un establecimiento comercial porque recibe el chi y el tránsito de todas las direcciones.

4. Los clientes pueden entrar fácilmente. Para aumentar aún más el volumen de ventas, el propietario puede instalar un espejo sobre la pared que da al tránsito, y de ese modo agrandar simbólicamente el local y atraer más clientes a su interior.

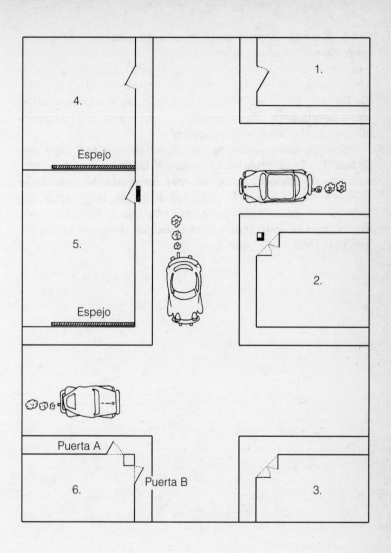

CÓMO UBICAR UN NEGOCIO

5. Si hay una calle que apunte directamente al local, el negocio será más estable si el tránsito se aleja de allí. Si, por el contrario, avanza hacia allí, el negocio debe ser ancho y tener un espejo en la pared interior que mire hacia la puerta. En caso de no ser ancho, cuelgue espejos a ambos lados de la puerta para ayudar a impedir que ingrese el efecto pernicioso de la calle perpendicular.

6. Aquí, una columna separa a ambas puertas y hace que la actividad comercial sea despareja. La puerta A no beneficia a la tienda porque no se abre de modo de abarcar el tránsito, como la puerta B. En los negocios, las puertas deben abrir hacia adentro para fomentar que fluya hacia adentro el chi. Con esto también se consigue que para el cliente sea más fácil entrar que salir.

5

FORMAS

SYING

Las formas pueden moldear nuestra vida. Con el ojo entrenado y una aguda imaginación, los expertos en feng shui identifican e interpretan la forma de una montaña, un lago, un terreno, un edificio o una habitación, y luego determinan de qué manera eso puede influir sobre nuestra vida. Lo que hacen es aplicar a una forma las técnicas del feng shui, ya sea para realzarla o, si la forma tiene una connotación negativa, para modificarla y crear, en cambio, un entorno positivo.

El feng shui es un lenguaje de símbolos. (Como vimos en el capítulo 4, montañas y ríos son veleidosos dragones que pueden custodiar o poner en peligro a los moradores.) Desde la antigüedad hasta el presente, se ha usado el feng shui para interpretar signos y formas naturales o hechos por el hombre –edificios, montañas, lotes, ríos, calles– y adivinar los efectos que pueden producir en nosotros. Por ejemplo, los chinos tienen por costumbre evitar el simbolismo en torno de la muerte, lo cual puede ir desde un edificio con forma de lápida hasta torres gemelas reminiscentes de las varitas de incienso que se ponían en arcaicos altares. Incluso hace poco tiempo, a un alto funcionario de un Banco de Hong Kong le resultó casi imposible vender su hermosa casa ubicada en los Nuevos Territorios debido a que el jardín tenía forma de ataúd.

El ser humano es un espejo de su entorno. Una vivienda o una oficina no son meramente formas inanimadas o cáscaras vacías donde vivimos y trabajamos. Su forma adquiere una significación que reconocemos y ante la cual reaccionamos, tanto consciente como inconscientemente. Más aún, la ubicación de las habitaciones y los muebles dentro de un edificio determina nuestros hábitos, reacciones y eficiencia.

Los principios que aplica el feng shui a las formas hechas por el hombre –desde habitaciones, departamentos y oficinas hasta casas y edificios enteros– son similares a los que aplica a los terrenos. Las mejores formas son, en general, las cuadradas, rectangulares o redondas. Se trata de formas compactas, regulares, desde las cuales es posible obtener una vida y fortuna constantes. (La casa china tradicional era un enclave que incluía cuatro construcciones de una sola planta, dispuestas de forma tal de dejar un patio interior, quizás un reflejo geométrico de la ubicación ideal en una montaña.)

Sin embargo, las casas en forma de U o de L, habituales en Occidente, tienen problemas propios. Según el feng shui, estas formas son incompletas, y por ende sus ocupantes padecerán determinadas complicaciones en su vida. Así, la ubicación de ciertas habitaciones –el dormitorio principal, la cocina y el comedor– se vuelve particularmente importante cuando se trata de determinar el destino de los moradores.

FORMAS EN L

Los chinos evitan las casas en forma de L pues dan la impresión de que les falta algo, o que tienen algo desequilibrado. Los problemas resultantes, según de qué habitaciones se trate, pueden ir desde inconvenientes menores –como malos hábitos de estudio en los hijos– hasta crisis que ponen en peligro la vida. El problema de una vivienda u oficina en forma de L puede resolverse en el interior, o bien actuando

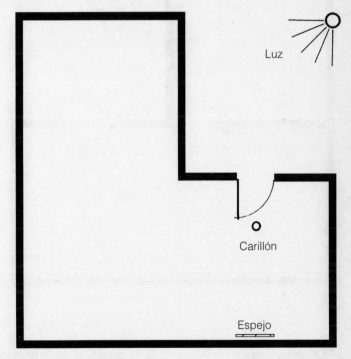

Luz

Carillón

Espejo

VIVIENDA EN FORMA DE L

sobre el paisaje exterior. (Véase capítulo 8.) La cura para una casa sencilla en L consiste en instalar una fuente, árbol o estatua, o bien orientar un reflector hacia el techo de la casa, para compensar simbólicamente la L. Cuando se trata de departamentos, obviamente no se le puede plantar afuera un árbol, de modo que el desequilibrio debe corregirse de modos más sutiles, en el interior.

CURA. Instale una luz o cuelgue un carillón o una bola de cristal cerca de la puerta de entrada para equilibrar el chi del departamento, o bien cuelgue en una pared un espejo orientado hacia la puerta, de modo que refleje la puerta sobre la pared adecuada, como se ve en la ilustración.

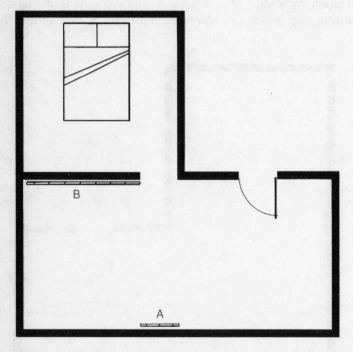

CURA PARA UN ALA SOBRESALIENTE

En una vivienda en forma de L, la posición de la puerta de adelante puede afectar la estabilidad matrimonial. El dormitorio principal, la cocina o el comedor situados en un ala que sobresalga pasando el nivel de la puerta del frente presagia problemas conyugales. Uno de los cónyuges adquirirá la costumbre de comer o dormir fuera de su casa, y por consiguiente se resentirá la unidad familiar.

CURA. A) Cuelgue un espejo frente a la puerta del dormitorio, cocina o comedor para llevar a esa ala dentro de la casa, o bien, B) Cuelgue un espejo sobre la pared externa del ala.

Los edificios con forma de bota o de cuchilla de carnicero traen aparejadas connotaciones particularmente negativas. En un edificio o habitación que se asemeje a una cuchilla de carnicero, los ocupantes no deben ubicar el escritorio, la cocina ni la cama sobre el filo de la hoja. Si un edificio tiene forma de cuchilla vertical con una torre alta, se aconseja vivir en la sección de la torre –lo que sería el mango–. Si se trata de una casa o un departamento –cuchilla horizontal– lo mejor es dormir en el ala angosta –el mango– para mejorar el chi y dar a los residentes una sensación de control.

CURA. Si una cama, escritorio o cocina se halla en el filo de la cuchilla, cuelgue un espejo sobre la pared contraria al filo para que, de una manera simbólica, el mueble se aleje del filo y entre en una zona sin peligro.

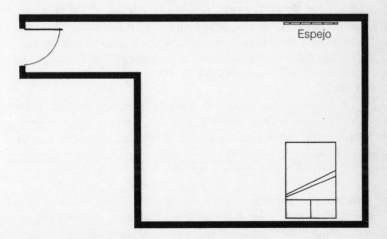

FORMAS SEMEJANTES A "CUCHILLAS DE CARNICERO"

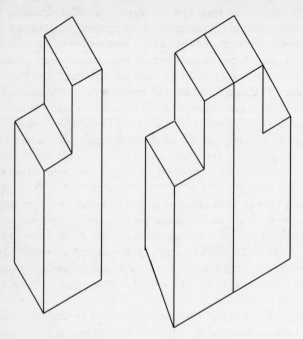

EDIFICIOS EN FORMA DE CUCHILLA DE CARNICERO

En las casas, departamentos o habitaciones en forma de bota, evite tener la cama, escritorio, cocina o puerta en lo que serían los dedos, o de lo contrario "tropezará" en la vida. Esta ubicación es principalmente mala para las finanzas, pues podemos llegar al punto de la quiebra. Sin embargo, la zona del tobillo es auspiciosa: la unión de potencia y energía. CURAS.

1. Instale canteros con flores en el punto A; luego únalos a la punta de la bota con enredaderas. De esta manera se le pone un refuerzo a los dedos en el lado más pesado, con lo cual se alivia la presión.

2. Instale una piscina o una luz en el punto B para completar simbólicamente la forma, convirtiéndola en un cuadrado o rectángulo.

3. Cuelgue un espejo que refleje la cama, escritorio, cocina o puerta alejándolos de la suela de la bota.

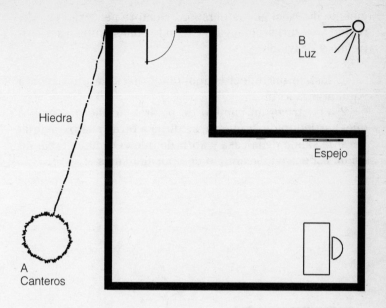

B
Luz

Hiedra

Espejo

A
Canteros

FORMAS DE "BOTA"

Muchas casas norteamericanas tienen el garaje que sobresale del sector principal, con lo cual crean una L. El garaje sobresaliente estorba la ruta de salida, de modo que quienes salen o entran, constantemente deben rodearlo. Aunque haya un sendero desde la puerta hasta el garaje, la entrada se sentirá bloqueada, con lo cual pondrá escollos en el crecimiento laboral de los ocupantes. Un sendero orientado en sentido contrario ofrece un trayecto alternativo que amplía las posibilidades profesionales y equilibra el chi de los residentes.

Cuando un garaje crea una L y corta la ruta que parte desde la puerta del frente, se produce un desequilibrio en el cuerpo y la mente de los moradores. Por ejemplo, en la siguiente ilustración, las personas siempre pensarán en "derecha" y se dirigirán al garaje, con lo cual su futuro será estrecho y desviado.

CURAS.

1. Instale un reflector apuntando hacia la puerta para equilibrar la forma.

2. Construya un camino de piedra, ladrillo o cemento que, partiendo de la puerta, se dirija a otra calle para equilibrar la salida de la casa y abrir un nuevo camino, creando así un espectro más amplio de oportunidades.

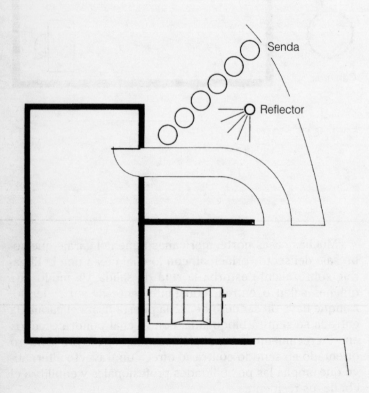

GARAGE EN FORMA DE L

FORMAS EN U

Las casas y departamentos en forma de U con la entrada dentro de la U pueden traer mala suerte a los matrimonios. Evite ubicar el dormitorio principal, la cocina o el comedor en las alas, porque de lo contrario uno de los cónyuges comerá o dormirá fuera de la casa. Simbólicamente "impedidos" de entrar en la vivienda, esas personas adquirirán la costumbre de irse de la casa, y con el tiempo ya ni siquiera regresarán. Asimismo, la familia puede llegar a padecer jaquecas crónicas, cirugías o traspiés comerciales o laborales. CURAS.

1. En un ala de la U, ponga el cuarto de huéspedes, para que no quede allí el dormitorio principal.

2. En una casa, plante una hilera de flores o arbustos en ambas alas para emparejar la forma y crear así un rectángulo.

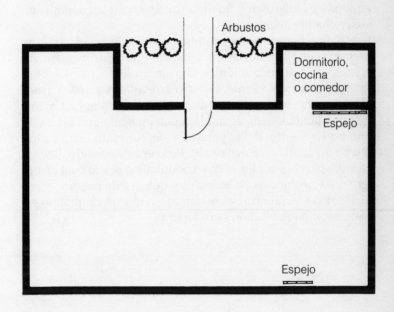

FORMA EN U: CURVAS

3. En un departamento, cuelgue espejos para llevar adentro, hacia el sector principal de la casa, el reflejo de la habitación que sobresale.

4. Cuelgue un espejo en la pared de afuera del ala –si es un dormitorio, comedor o cocina– que mira hacia el interior de la casa.

FORMAS IRREGULARES

Tal como sucede con la forma de los terrenos, se puede emplear el método del equilibrio para reinterpretar los edificios, departamentos y habitaciones irregulares en su forma. Por ejemplo, una casa con una entrada pequeña –una "nariz"– deja pasar una cantidad escasa de chi, por lo cual se asfixiarán las finanzas, y los residentes tendrán problemas de salud. Este desequilibrio puede resolverse con plantas.

En una casa que remata en punta o con ángulos muy agudos –y peligrosos–, pueden suceder a sus ocupantes insospechados accidentes.

CURA. Si a la casa se la equilibra con una piscina, con una fuente o con plantas, dará la sensación de un armonioso yin y yang. (Véase ilustración de la página 120.)

Las casas de formas raras o irregulares pueden traer buena suerte si se las suplementa debidamente. En California, una familia joven se mudó a una vivienda con forma de molino de viento. A las personas de chi lento, esta forma puede insuflarles más vitalidad. Pero era demasiado dinámica y despareja para los nuevos ocupantes, por lo cual la mujer sufría problemas intestinales y dolores de cabeza.

CURA. Para estabilizar el hogar, ate la forma de molino en cada esquina plantando enredaderas.

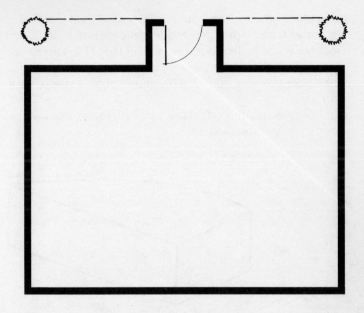

CASA CON UNA PEQUEÑA ENTRADA EN FORMA DE "NARIZ"

Plante flores o arbustos para completar la forma.

FORMAS DIVERSAS DE CASAS

1-3. Las formas regulares que se muestran en las ilustraciones son las mejores. La casa número 3 puede mejorarse aún más plantando arbustos para crear un octágono. Las formas irregulares son más riesgosas: algunas pueden ser positivas, y otras presagiar problemas. Sin embargo, hasta las más problemáticas pueden curarse, recurriendo por lo general al ba-gua (véase capítulo 8).

4-5. Éstas son formas que traen suerte.

6. Esta forma demostrará ser buena para el matrimonio, las finanzas y la erudición de sus moradores.

7. Esta forma es buena. Los mejores lugares para instalar los dormitorios son las esquinas A y B.

8. Esta forma también es buena. Si la entrada es por el

lado A, los residentes tendrán una carrera laboral fructífera; si es por el lado B, prosperarán los hijos; en el lado C, los ocupantes gozarán de renombre, y en el lado D, la familia será armoniosa. Sin embargo, se puede mejorar esta forma agregándole dos alas más (a y b), con lo cual la suerte será mayor.

9. Quienes habiten una casa con esta forma tendrán riquezas y un matrimonio feliz.

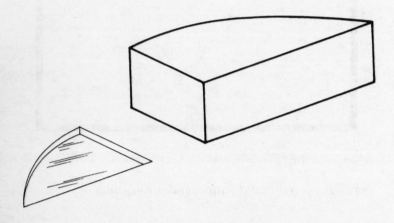

CURVA DE FORMA IRREGULAR

A esta casa de forma desusada se la mejoró equilibrándola con una piscina.

10. La forma de escalera o de rayo se considera buena. Cuantos más añadidos se hagan a la escalera, mejor. Ahí es donde son útiles la intuición y la imaginación para agregar prolongaciones a un edificio y crear formas potentes en lo simbólico. Un experto en feng shui interpretó esta forma comparándola con la de un intenso rayo, diseño que una renombrada empresa de computación utilizó para mejorar sus ventas.

11. Si bien esta forma suele ser auspiciosa, evite ubicar puertas en los lados oblicuos, porque pueden suceder calamidades inesperadas.

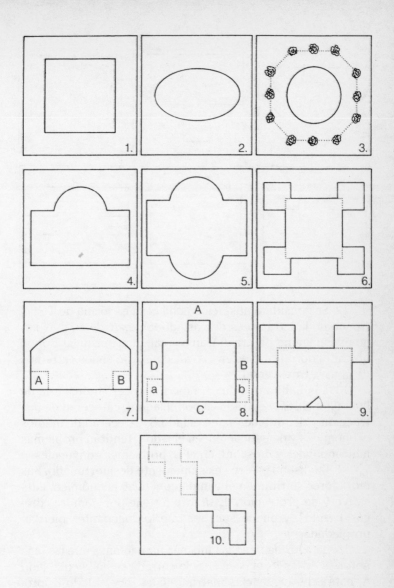

FORMAS DE CASAS

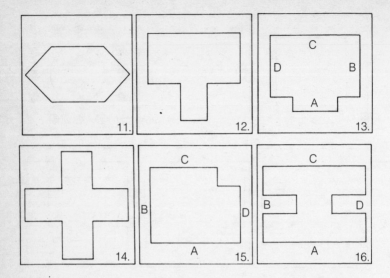

12. Se considera auspiciosa una casa en forma de T si el tronco de la letra no es demasiado largo; es decir, más largo que el ancho del trazo transversal. El mejor lugar donde ubicar el dormitorio es en el trazo largo, no en los extremos de la vara transversal.

13. Los habitantes de esta casa padecerán una serie de limitaciones. Si la entrada es por el lado A, carecerán de instrucción y de protección; en el lado B, carecerán de medios económicos y de educación; en el lado C tendrán problemas matrimoniales y de salud; en el D, problemas conyugales.

14. En diseño en cruz es sumamente desafortunado. Sus moradores sufrirán en el campo conyugal, económico, educativo y de protección. Esta forma tiene por nombre "dragón herido", y puede suceder que los ocupantes pierdan propiedades.

15. Esta forma tiene las mismas limitaciones que las más notorias de las formas en L. Si la entrada se halla en el lado A, habrá desavenencias matrimoniales; por el lado B, problemas económicos; por el lado C, bajo nivel de instrucción y en el lado D, falta de protección.

16. Las formas en H no traen suerte, y cuanto más profundos los huecos, peor será la situación. Si la entrada es por los lados A o C, los moradores tendrán problemas de fa-

milia y con los hijos; en los lados B y D, complicaciones laborales y de reputación.
CURA.
Convierta la forma en un cuadrado con plantas o senderos.

DIVERSAS FORMAS DE HABITACIÓN

1-9. Las ilustraciones con estos números corresponden a formas compactas, positivas. El hexágono del número 2 es una forma que trae suerte, y puede mejorarse aún más agregándole plantas o un conjunto de seis objetos de color –blanco, rojo, amarillo, verde, azul y negro–, ubicado cada

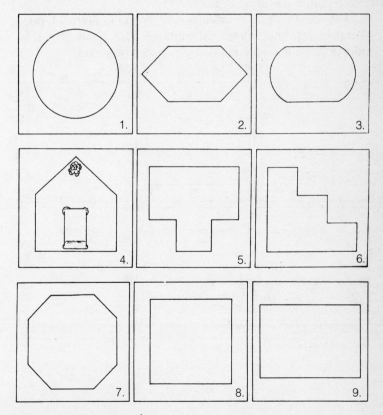

FORMAS DE HABITACIÓN

uno en una esquina. (Los seis colores representan las Seis Palabras Verdaderas del Budismo; véase Anexo 1.) Si el número 4 es un dormitorio, se debe colocar la cama contra la pared contraria al sector que sobresale; luego es preciso poner una planta, una bola de cristal o una luz en la saliente.

10-15. Todas éstas son formas desafortunadas. En la habitación número 11, si se entra por el lado A, los ocupantes tendrán problemas económicos y matrimoniales; una puerta por el lado B representa falta de dinero y de instrucción; en el lado C, falta de instrucción, y en el lado D, problemas conyugales y de protección (véase capítulo 8). Las habitaciones triangulares, como la número 13, pueden provocar desgracias a menos que se resuelva cada ángulo con un objeto o planta de forma redonda.

Las habitaciones romboidales, como la número 14, pueden producir imprevistas calamidades a los residentes si la puerta se halla en alguna de las paredes oblicuas.

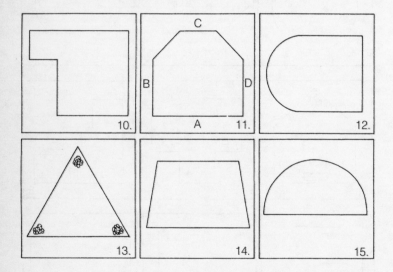

6

INTERIORES: ELEMENTOS DE LA ESTRUCTURA

ESTRUCTURA

En la vida moderna, el feng shui de interiores parece afectarnos más que los aspectos exteriores tales como ríos y montañas. Tanto el arreglo de la oficina como del hogar influyen en nuestro comportamiento en el mundo exterior (el yin afecta al yang). Los patrones de conducta de una persona y el curso de su vida pueden ser determinados simplemente por la estructura, la forma, y la disposición de los muebles de las habitaciones que ella ocupa.

El especialista en feng shui examina la casa u oficina como si se tratara de un cuerpo con su propio metabolismo, en búsqueda de un chi positivo y saludable. Las puertas y ventanas son las bocas y ojos que permiten el ingreso de una cantidad adecuada de chi a un hogar. Los pasillos son las venas y arterias conductoras del chi desde una habitación a otra. Y los muebles, las plantas y las puertas internas transportan el chi a través de las habitaciones. Hasta el interior más atractivo puede albergar gérmenes de problemas que sólo el ojo entrenado de un experto en feng shui es capaz de detectar.

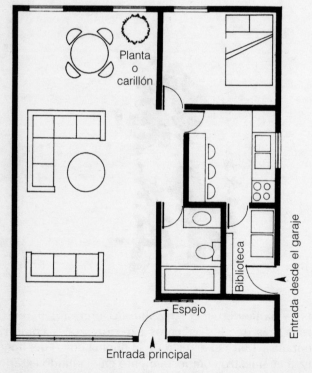

UNA CASA PROBLEMÁTICA

126

Una casa u oficina puede parecer hermosa y confortable, tener una buena vista y el sello de un afamado diseñador o arquitecto. Pero, según Lin Yun, tal disposición, como la que se muestra en la ilustración, puede estar llena de defectos de feng shui. La división en dos mitades puede causar una enfermedad a lo largo de la línea central del cuerpo de quien la habita.

Algunos cambios de feng shui en el ejemplo de la ilustración –que muestra el diseño premiado de una casa en California– pueden ayudar a evitar problemas intrínsecos.

Uno de los defectos principales es el desequilibrio en la entrada. La puerta se abre y presenta una visión de larga distancia que se interrumpe parcialmente debido a una pared, lo cual produce en los moradores un desequilibrio de percepción inmediata que incidirá, en definitiva, tanto en el trabajo como en el matrimonio. Cada día, al regresar a la casa, el ojo derecho percibe el borde de la pared y el ojo izquierdo la perspectiva lejana, lo cual perturba el propio chi y repercute tanto en el lenguaje como en la movilidad. La visión dividida perjudica el hemisferio cerebral que rige el habla al tiempo que desarrolla el del movimiento, y eso trae como consecuencia que los ocupantes piensen menos y actúen más. Sin duda, las parejas no solucionarán sus problemas en base al diálogo sino con peleas e incluso recurrirán a la violencia.

CURA. Ubicar un espejo, un cuadro o flores en la pared a fin de atraer el ojo derecho y crear un efecto más armonioso. (Lin Yun recomienda nueve billetes de un dólar para los hombres de negocios.)

La alineación de puerta y ventana hace que el chi entre por un lado y salga demasiado de prisa por el otro, amenazando –como si fuese un cuchillo– la salud de sus habitantes y creando una barrera invisible capaz de dañar las relaciones familiares. El flujo veloz de chi también aleja el dinero y las oportunidades.

CURA. Se puede colgar una planta o un carillón a fin de dispersar el chi de manera uniforme a través de la casa.

Pese a haber resuelto el problema de la entrada, los habitantes aún pueden encontrar peligros ocultos. Por ejemplo, si bien la parte principal de la casa es amplia y está bien diseñada, sus cualidades positivas pueden ser de poca ayuda si los ocupantes eligen entrar por el garaje e inmediatamente se topan con una pared. También, ya que la puerta se abre para donde no debe, tendrán que rodearla, luego rozar el lavarropas, sortear una serie de puntas filosas, estanterías sumamente altas, pasillos angostos y otros obstáculos. Un trayecto tan tortuoso hacia el dormitorio desequilibrará el chi de los ocupantes. Con el tiempo, sufrirán de letargo –la tendencia a tirarse en la cama al regresar–, se pondrán de mal humor y habrá discordias familiares y conyugales.

PUERTAS

En una casa, departamento u oficina ideal, el flujo de chi debería ser parejo, parecido a la circulación dentro de un cuerpo sano. Las puertas y ventanas exteriores son orificios que permiten la entrada del chi y de las oportunidades. Del mismo modo, las puertas interiores, los pasillos y las escaleras bombean el chi uniformemente por toda la casa. Su movimiento debería ser sereno, ni demasiado rápido ni demasiado lento.

Las puertas de entrada tienen que abrir hacia el área más amplia de la habitación o el vestíbulo. El vestíbulo –la primera impresión del habitante de una casa o una oficina y la entrada para el chi– es uno de los aspectos vitales que considera el feng shui. El sector de entrada debe ser ligero y amplio, cálido y acogedor. Esto anima al chi de los ocupantes a surgir y fluir suavemente.

En Washington, D.C., Johnny Kao, dueño de varios restaurantes chinos, encargó a un experto que diseñara el plano de Mr. K's, un gran restaurante que abrió en 1983. Entre otros cambios, instaló un tapiz *trompe l'oeil* del Templo del Paraíso sobre la pared opuesta a la entrada porque, según asegura, tiene un sentido simbólico y de diseño. "Este templo es donde anualmente el emperador reza para que China se beneficie con un buen año y una buena cosecha", explica, agregando que "el elemento tridimensional crea una perspectiva, evitando que los clientes sean recibidos por una pared en blanco".

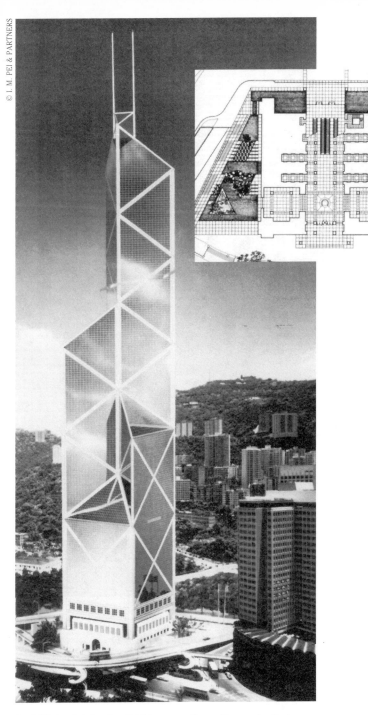

1. Edificio del Bank off China, en Hong Kong, diseñado por
I.M.Pei y Asociados, y plano de planta. (Véase página 103).

2A. Antes: Pasillo con viga causante de un desequilibrio (derecha).

2B. Después: Pasillo revitalizado con iluminación desde el techo. (Véase página 145).

3. *Flautas de bambú que, en una formación de ba-gua, solucionan la impresión de división producida por una viga. (Izquierda). (Véase página 144).*

4. *Buena disposición de elementos en una sala. Las flautas de bambú componen una forma de ba-gua para realzar el sector que simboliza la riqueza y el matrimonio. Con espejos se logra duplicar el espacio. (Véase página 197).*

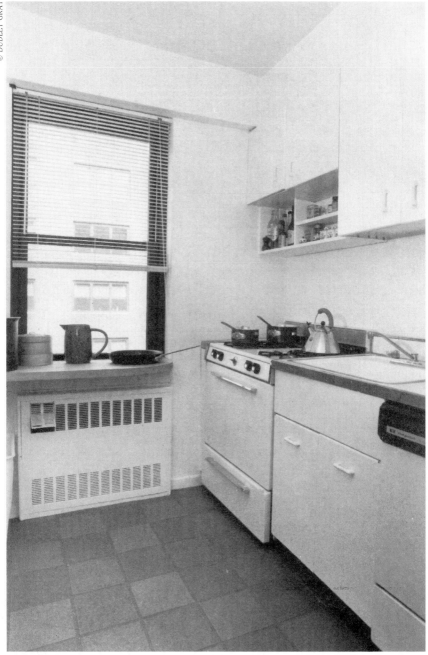

5A. *Antes: Cocina sin espejos.*

5B. Después: Buen uso de espejos en una cocina (Véase página 158).

6. *Un tragaluz vigoriza el chi en este hall de entrada. Nótese el atractivo espejo, y la planta que disimula un pilar obstructivo (arriba). (Véase página 206).*

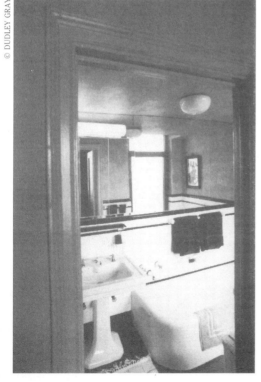

7A. Antes: Baño sin espejos (derecha, arriba). (Véase página 163).

7B. Después: Con espejos se logró ampliar el baño y darle nueva vida. El retrete no queda a la vista al entrar (abajo, derecha). (Véase página 164).

8A. Muebles dispuestos siguiendo el auspicioso octágono del ba-gua (izquierda, página anterior). (Véase página 162).

© DUDLEY GRAY

8B. Nótense los espejos en las ventanas de ancho antepecho, que traen hacia adentro la luz y la vista de la ciudad. (izquierda). (Véase página 162).

9. El feng shui se aplica a cualquier estilo y gusto. Un espejo bien ubicado, sumado a unas plantas delante del hogar y a una agradable disposición de los muebles, contribuye al atractivo de esta sala (abajo). (Véase página 162).

10. La sala con espejos del piso al techo son muy ventajosos. (Véase página 162).

11. Un espejo sobre una cama bien ubicada atrae vistas de paisajes con agua (que simboliza dinero).

12. Comedor con pared espejada y mesa de auspiciosa forma octogonal (Véase página 160).

13. Este espejo, con marco de madera para darle aspecto de puerta, resuelve una pared oblicua y permite a ver quien entra por la verdadera puerta. (Véase página 195).

14. *En este estudio, el escritorio se halla bien ubicado mirando hacia la puerta, los espejos reflejan vistas, y a una planta se la guía para que al crecer disimule una esquina sobresaliente. (Véase página 170).*

15. *Escritorio bien ubicado en una oficina. (Véase página 177).*

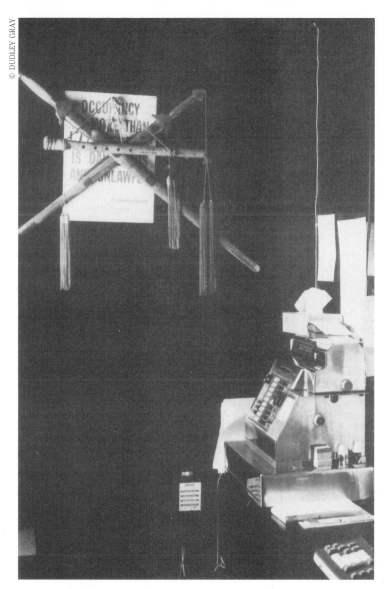

16A. Caja registradora aumentada expresamente (arriba).
(Véase página 181).

16B. Mostrador de bar aumentado expresamente (derecha). (Véase página 179).

16C. Acogedora entrada de Auntie Yuan, un restaurante neoyorquino. A las paredes negras (color que simboliza agua y dinero), se les dio vida con una caligrafía especialmente bendecida, como por ejemplo la palabra Tao, a la izquierda del escritorio (véase páginas 165 y 197).

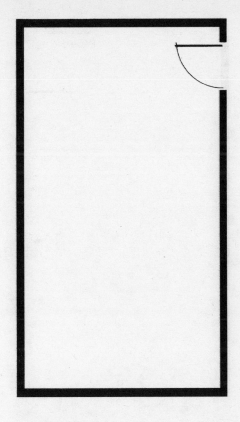

ENTRADA IDEAL

He aquí una serie de problemas y soluciones para encarar los potenciales inconvenientes estructurales de una casa.

Una puerta que se abre erróneamente hacia una pared trabará el chi y la suerte de los ocupantes. A la larga, éstos sufrirán también problemas físicos y ansiedad emocional. CURA. Se podrían cambiar las bisagras para invertir el sentido de apertura, colgar un espejo en la pared a fin de crear una ilusión de mayor espacio o bien instalar una luz o una campana que se encienda o suene automáticamente cuando se abre la puerta.

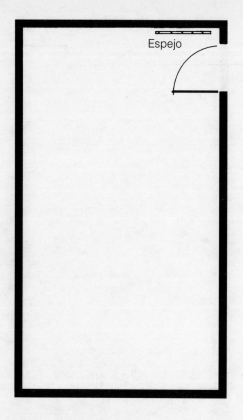

Espejo

ENTRADA OBSTRUIDA

Si una persona vuelve todos los días a su casa y es reci-
bida por una pared, ésta se transforma literalmente en un
"muro de ladrillos", que inhibe el chi y asegura una vida de
lucha –si no de fracaso– en el término de tres años, según
sostiene Lin Yun.
CURA. Un espejo colgado en la pared permitirá que el chi
penetre en el espacio opresivo.
    Una entrada restringida u oscura asfixia al chi, repri-
miendo la suerte de los residentes. Si la entrada es un pasillo angosto, puede producir problemas de salud, desde ma-

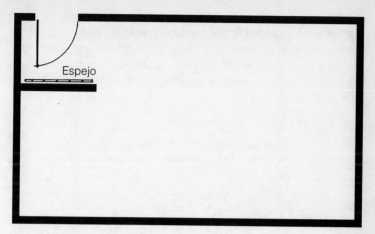

ENTRADA "MURO DE LADRILLOS"

lestares respiratorios hasta partos difíciles y peligrosos. A nivel psicológico, una entrada estrecha y mal iluminada es deprimente, provoca mal humor y melancolía.

CURA. Debe colocarse una luz intensa en el techo y un espejo en la pared a fin de crear imagen de profundidad.

ENTRADA ANGOSTA

131

Las puertas de atrás también son importantes, ya que representan oportunidades indirectas. Para una casa o negocio será más beneficiosa una puerta trasera que desemboque a un pasillo amplio, como símbolo de mejores oportunidades de crecimiento económico, más que una pared opresiva.

Buena alineación de una puerta

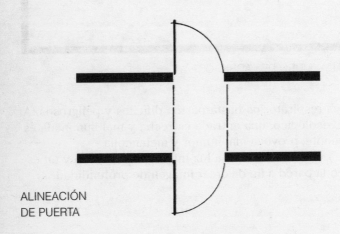

ALINEACIÓN
DE PUERTA

La alineación de una puerta es importante en el feng shui. Las puertas mal ubicadas pueden producir problemas de salud y conflictos personales. Las puertas que se alinean una justo enfrente de otra por lo general están bien, ya que no se superponen. Sin embargo, es conveniente evitar que las puertas de dos baños se enfrenten. Los habitantes pueden adquirir una dolencia física en la línea central de su cuerpo o sufrir de diarrea, tanto física como económica, ya que la salud o el dinero se perderán.
CURA. Espejos en ambas puertas que dan al pasillo.
Si la entrada está en la misma línea que la puerta trasera, el chi bueno entra y sale con demasiada rapidez y no circula. En consecuencia, es posible que los residentes encuentren muchas oportunidades, pero que no puedan ha-

cerlas suyas ni aprovecharlas. Cuanto más cerca se ubiquen estas puertas, peor será la situación. Cuanto más lejos, mejor, dándole al chi una mayor oportunidad de circular.

CURA. Colgar un carillón, una planta o una bola de cristal para dispersar el chi y de ese modo esparcir las oportunidades por toda la casa. La entrada de la casa de un constructor de Tucson (Arizona), cuya situación económica era tambaleante, desembocaba directo a la puerta del jardín. Luego de colgar un carillón a fin de estimular la circulación del chi –y de las oportunidades–, logró un proyecto importante que le trajo más dinero y más clientes.

Los picaportes de las puertas que rozan unos con otros como dientes rechinantes atraen conflictos familiares.

CURA. Para solucionar esta alineación problemática, pinte un punto rojo a nivel de los ojos sobre las puertas ofensivas o realice un ritual sanador de la siguiente manera: ate una cinta roja de que mida entre 45 y 65 centímetros en cada picaporte, y luego córtelas por la mitad (véase Anexo 1).

Hay que tener cuidado con las puertas enfrentadas que, aunque parezcan alineadas, están en realidad ligeramente fuera de escuadra. Pueden ser la causa de problemas familiares, profesionales y de salud. Traicionera como una "mala mordida", esta disposición peligrosa provocará mala suerte entre los miembros de la familia. La esquina de cada marco, similar a la punta de un cuchillo, puede desequilibrar sutilmente el chi de los habitantes de la casa.

CURA. Es indicado colgar un adorno a nivel de los ojos sobre el marco de la puerta que se proyecta en la vista de la persona.

1. Incluso peor que las puertas de "mala mordida" son dos puertas paralelas que se superponen de manera obvia. Esta falta de alineación puede ser peligrosa para la salud y para las relaciones personales y de trabajo al producir una vista despareja que desequilibra el chi. Es similar a tener un ojo hipermétrope y el otro miope. Un costado de la persona se sentirá expansivo y el otro reprimido, por lo que se desequilibrarán el cuerpo y las emociones.

CURA. Puede colgarse un espejo o un cuadro en la pared que sobresale a fin de crear la ilusión de un espacio más amplio, lo cual armonizará el chi de los moradores y les permitirá tener un cuerpo más equilibrado y una mejor perspectiva. Esto también distraerá la atención para no centrarla en la arista cortante del marco de la puerta. El cuadro puede ser de un bello paisaje, de un niño, o –para un emprendedor hombre de negocios–, un billete real de cien dólares.

ALINEACIÓN INCORRECTA
DE PUERTAS

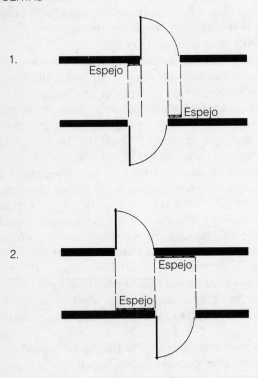

2. Estas puertas pueden inhibir a quienes viven en una casa, error que se subsana colgando cuadros con paisajes o espejos delante de cada puerta.

3. Que una puerta enfrentada sea más grande que la otra puede ser bueno o malo, según las circunstancias. No hay problema si la puerta mayor da a una habitación amplia –un dormitorio o una sala– y la pequeña corresponde a un arma-

rio o un baño. Pero si, por el contrario, la mayor lleva a un baño, cocina o armario, y la menor a un dormitorio, resulta negativo ya que como dice un refrán chino, "El grande se come al pequeño". El chi de la cocina, baño o armario abatirá al chi del dormitorio, lo cual llevará a los residentes a realizar menos actividades. Por ejemplo, una puerta mayor que se abra a un baño puede producir pérdidas de tiempo de los habitantes de la casa y causar trastornos de salud, especialmente de tipo abdominales. Las personas pueden sufrir complicaciones intestinales o de vejiga, como también es factible que los temas inherentes a prepararse para salir –como el maquillarse– las preocupen demasiado, y terminen prefiriendo no salir. Si la puerta de mayores dimensiones corresponde a un armario, quienes viven allí tenderán a volverse vanidosos y pasarán una cantidad extraordinaria de tiempo vistiéndose. En caso de que dicha puerta conecte a una cocina, los habitantes de la casa se obsesionarán con la comida, con cocinar y comer.

CURA. Es conveniente colgar un espejo en la puerta de mayor tamaño para que en él se refleje el dormitorio, así ambas puertas impresionan como que dan cada una a un dormitorio.

3.

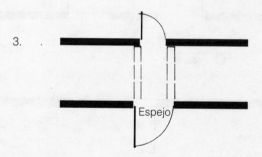

Espejo

4. Evitar colocar puertas en ubicaciones extrañas. En un departamento de tres dormitorios sobre Park Avenue, en Nueva York, al abrir un puerta se obstaculizaba parcialmente otra, lo cual provocó que el hijo del dueño de casa se quebrara la clavícula tratando de esquivarla. Este peligro se eliminó reemplazándola por puertas persiana más pequeñas.

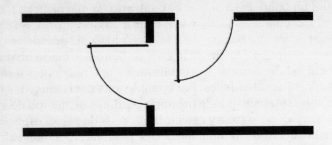

4. PUERTAS MAL UBICADAS

5. Para no perturbar la armonía en la familia o el lugar de trabajo, es aconsejable evitar un pasillo corto con muchas puertas. Cada una de ellas representa una "boca" diferente con su propia opinión. Si se quiere evitar las discusiones frecuentes entre los moradores, conviene colocar espejos sobre las puertas, instalar una luz potente o un carillón en el techo.

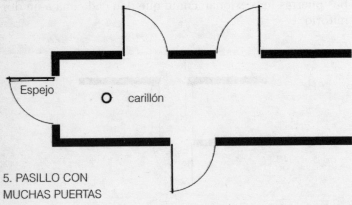

Espejo   O   carillón

5. PASILLO CON MUCHAS PUERTAS

6. Una puerta situada al final de un pasillo largo hace asimismo peligrar la salud como consecuencia de un flujo rápido de chi que rebota sobre la pared, lo que provoca una sensación explosiva, con efecto negativo sobre la digestión y los nervios. Una puerta o una pared al final de un pasillo

también crean un callejón sin salida que puede cerrar las posibilidades de desarrollar una carrera.

CURA. Se aconseja colgar un espejo sobre la puerta o la pared para desviar el fuerte flujo del chi y crear así una vista más profunda, infundiendo a las personas de la casa una esperanza simbólica de avance. Sin un espejo, no tendrían un lugar adonde ir. Los pasillos no deben estar llenos de cosas, ya que presentarían un estorbo al chi y al futuro de los moradores.

Espejo

6. PUERTA AL FINAL DE PASILLO LARGO

Los chinos tradicionalmente evitan que haya tres o más puertas o ventanas en hilera. (Las ventanas son algo menos problemáticas que las puertas.) La explicación supersticiosa es que los demonios o chi maligno vuelan en línea recta, siendo ése el motivo de que se utilizaran biombos para desviar su influencia perversa. En esencia, esta alineación de puertas y ventanas crea una corriente de aire que hace salir demasiado de prisa al chi, inhibe el chi de los residentes, afecta su salud, sus relaciones personales y su armonía interior. Los habitantes suelen contraer alguna enfermedad a lo largo del meridiano central de su anatomía, por lo general, problemas intestinales. El rápido tránsito del chi también puede funcionar como una barrera invisible, y eso se traduce en relaciones tensas en el hogar y el trabajo. Para detener el flujo veloz del chi y dispersarlo, colgar un carillón o una bola de cristal.

Bola de cristal

TRES O MÁS PUERTAS
O VENTANAS EN HILERA

Un arquitecto de Filadelfia se sorprendió cuando un experto en feng shui, de visita en su oficina, mencionó una serie de puertas y ventanas para explicar una desavenencia con su socio, y observó que los buenos proyectos los eludían en forma continua. El chi, que circulaba con fuerza, dividía los escritorios y se llevaba las oportunidades. Asimismo, agregó el arquitecto, la alineación incorrecta de las puertas causaba mayor tensión y tirantez en la oficina, y los negocios se tambaleaban. Una vez que hubo colgado una planta en la ventana e instalado un rosetón de adorno en la pared, junto a una puerta que daba a un jardín, las relaciones volvieron a ser cordiales y los resultados económicos mejoraron notablemente. Los carillones, las cortinas de cuentas y las bolas de cristal son efectivas para dispersar el fluido rápido del chi.

El tamaño de las puertas es importante. Una puerta debería guardar proporción con el tamaño de la casa o habitación. Si es relativamente pequeña operará como si fuera una boca o tráquea pequeña, impedirá que entre y circule suficiente chi bueno, provocando así una disminución en las oportunidades de salud, fortuna y felicidad de los moradores.

CURA. Es conveniente colgar un espejo encima o a ambos lados de la puerta a fin de producir un efecto de mayor altura o ancho.

Si una puerta es muy grande para una casa o un vestíbulo, ingresará demasiado chi y abatirá a los ocupantes. En el momento en que entre riqueza o suerte –por poca o mucha que sea– la casa no podrá retenerlas ni guardar ahorros.

CURA. Debe pintarse la entrada de un color profundo: negro, azul o verde oscuro, púrpura, etcétera, o bien instalar allí un objeto pesado cerca, pero no demasiado, de la puerta.

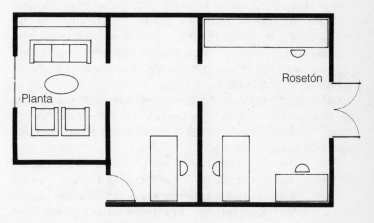

ESTUDIO DE UN ARQUITECTO

La relación entre la cantidad puertas y ventanas también es motivo de análisis para el feng shui, ya que afecta la dinámica familiar. Las puertas representan las bocas de los padres. Las ventanas son las voces de los niños. Si el número de ventanas supera al de puertas en una proporción de tres a uno, habrá discusiones causadas por demasiadas opiniones diferentes. Los niños serán desobedientes y contestadores. Del mismo modo, si las ventanas son más grandes que la puerta, los niños harán su voluntad y no harán caso de los consejos, los sentimientos y la disciplina de sus padres. Es conveniente instalar una ventana más grande con hojas de vidrio pequeñas.

CURA. Para crear armonía familiar, colgar una campana o un carillón cerca de la puerta de forma que, cuando ésta se abra, las ventanas oigan su voz.

VENTANAS

Las ventanas son los ojos –y bocas– de un hogar u oficina. (Un vidrio roto de una ventana puede augurar problemas oculares.) Como conductores del chi, las ventanas deberían abrir hacia adentro o afuera, en vez de deslizarse en sentido vertical. Lo mejor es la ventana que abre hacia afuera ya que permite la máxima entrada y circulación de chi, ampliando el chi de los residentes y sus posibilidades profesionales. El movimiento de apertura al exterior es una acción positiva armoniosa, que expande hacia afuera el chi de los habitantes de la casa.

Las ventanas que se deslizan verticalmente, sin abrirse más que hasta la mitad, sólo permiten la penetración de la mitad del chi, y los ocupantes tienden a presentar una falsa impresión ante los demás.

Pese a que los diferentes climas y ubicaciones geográficas tienen sus necesidades específicas, por regla general una ventana que mire al oeste tiene la posibilidad de causar daño al chi de los moradores. El resplandor del sol desde el oeste puede resultar intensamente opresivo y producir dolores de cabeza, comportamientos irracionales e ineficiencia en el trabajo. En Hong Kong, muchas empresas oscurecen y hasta llegan a tapiar con maderas sus ventanas orientadas hacia occidente, sobre todo por la tarde. Lo mejor es colgar una bola de cristal para transformar la maligna luz solar en un arco iris de colores, realzando toda la habitación con la fuerza revitalizadora del chi.

El extremo superior de la ventana debe tener mayor altura que todas las personas de la casa para que no disminuya el chi de los moradores. Las ventanas también deben ser relativamente anchas. Las de tipo rendija dificultan el paso del chi y estrechan las perspectivas y posibilidades de los residentes.

LÍNEAS OBLICUAS

Las vigas, vestíbulos, paredes o puertas oblicuas presagian eventos o accidentes extraños, ambiguos. Este cambio repentino de acontecimientos podría llegar a convertirse en un desastre. En el caso de un comercio, es especialmente malo ubicar la caja registradora bajo un pozo de escalera, ya que la inclinación hacia abajo se llevará los negocios.
CURA. Hay varios pequeños remedios para restituir el equilibrio normal e incluso inclinarlo a favor de uno. Para una viga o techo inclinado, se debe colgar un pendón rojo, una cortina o una viga de madera con el propósito de nivelar la inclinación o crear una declive complementario.

Una puerta en un muro en sesgo es particularmente mala, en especial si comunica con un dormitorio o un baño. Los habitantes serán víctimas de enfermedades o acontecimientos extraños. Para evitar una calamidad, debe colgarse una bola de cristal en cualquiera de los dos lados de la puerta, a una distancia aproximada de un metro desde el vano. En el caso de un vestíbulo oblicuo es aconsejable instalar tres bolas de cristal todo a lo largo.

Si una pared entera de una habitación está ladeada, el flujo del chi será atrapado en un ángulo menor de 90 grados. CURA. Ubicar una planta o una luz en el ángulo agudo para ayudar a que circule el chi.

ESCALERAS

Las escaleras son de un aspecto importante en el feng shui. Conductora del chi de un piso a otro, la escalera debe ser ancha, bien iluminada y no transmitir una sensación opresiva a causa del techo bajo. Si es oscura y angosta, el chi se sofocará; entonces habrá que colgar un espejo en el techo y aumentar la iluminación para mejorar el flujo de chi. Es conveniente evitar las escaleras con espacios huecos en vez de contraescalón en los peldaños ya que el chi se escapa y no se eleva.

Carillón o
bola de cristal

ESCALERA QUE SUBE HASTA UNA PUERTA

CURA. Instalar bajo la escalera plantas en macetas para ayudar la circulación del chi desde abajo hacia arriba. Si la escalera termina demasiado cerca de una pared frontal, colgar allí un espejo a fin de prolongar simbólicamente la vista.

Los chinos evitan las escaleras que desembocan en la puerta principal, ya que dejan escapar el chi y el dinero. CURA. Puede modificarse el curso del chi colgando un carillón o una bola de cristal entre el último escalón y la entrada.

Si la casa tiene desniveles, su dueño sufrirá altibajos en su vida. Las emociones y los negocios serán cambiantes y estarán cargados de problemas. Las casas planas o de tipo dúplex son más aconsejables. Los escalones de los desniveles siguen las reglas de las escaleras –cuanto más anchos mejor– ya que transmiten a los ocupantes un sentimiento de mayor seguridad y estabilidad.

En habitaciones con un desnivel, la cama debe ubicarse en el sector más alto, pero sin que resulte demasiado amontonada. Ya que el hecho de haber más de un escalón de un nivel al otro hace peligrar la salud y la profesión, éstos deben ser anchos y estar flanqueados por plantas.

Es mucho mejor una grácil escalera curva, mientras que una de caracol es peligrosa, pues se asemeja a un sacacorchos letal que va horadando los pisos. Las escaleras de caracol no sólo carecen de contraescalón, lo que provoca que el chi se escape, sino que son cual orificios en el cuerpo de la casa. Si la escalera está ubicada cerca de la parte central de la vivienda, sus habitantes pueden sufrir complicaciones cardíacas o de otro tipo en el término de dos años (véase capítulo 8).

CURA. Enrollar algo verde, como una enredadera, en el pasamanos. Luego instalar una luz en el techo de la escalera para que ilumine desde el piso alto hacia abajo.

TECHOS

Los techos deben ser confortablemente altos y bien iluminados. Un techo bajo en un espacio estrecho debilitará el chi de los moradores, por lo cual éstos se tornarán depresivos y propensos a sufrir dolores de cabeza.

CURA. Instale espejos en ambas paredes laterales para dar una sensación de mayor amplitud. Auntie Yuan, un conocido restaurante de Nueva York, resolvió un techo desparejo pintándolo de negro, de modo que sus irregularidades son menos evidentes, y el negocio prospera. (El negro también es un color que atrae el dinero; véase capítulo 8.)

VIGAS

Si bien algunas casas occidentales exponen a propósito las vigas o tirantes para dar una impresión rústica, en los hogares chinos las vigas se consideran formaciones estructurales opresivas que dañan el flujo de chi y la suerte de los habitantes. Al ser soporte de peso, crean verdadera compresión y pueden asimismo resultar opresivas para quienes trabajan, comen o duermen debajo, provocándoles desórdenes emocionales y de salud.

Es posible que las vigas en un dormitorio causen diversos inconvenientes, según dónde estén ubicadas. Por ejemplo, una viga sobre la cabecera de la cama puede ser motivo de jaquecas o migrañas; sobre la zona del vientre puede provocar úlceras y trastornos intestinales, y en la zona de los pies puede limitar la movilidad de quien duerme allí, tanto geográficamente como en la vida. Un comerciante de Florida descubrió que casi no viajaba desde que había comenzado a dormir en una cama cuyo pie se encontraba bajo una viga.

Las vigas sobre la cocina o la zona del comedor traen aparejadas pérdidas financieras; en particular, dinero prestado que no es devuelto.

Se considera que las vigas sobre un espacio de trabajo son debilitantes. Un arquitecto que sufría un bloqueo creativo pudo trabajar mejor una vez que alejó su mesa de dibujo de una viga semejante a una guillotina.

Si resultara imposible mover la cama, escritorio o cocina de abajo de una viga, una "cura" simbólica puede resolver las características opresivas del tirante y ayudar a que el chi lo traspase y pueda descender. Es conveniente colgar dos flautas de bambú envueltas en cintas rojas para crear una formación ba-gua con el tirante, imitando de esa manera al auspicioso octágono del *I Ching*. Otro método consiste en atar una cenefa roja a lo largo de toda la viga.

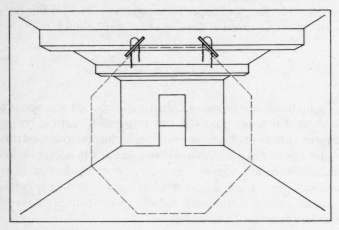

FLAUTAS Y VIGA

En Nueva York, un tirante sobre la cama de una pareja parecía dividirlos: la esposa no podía conciliar allí el sueño, por lo cual se levantaba en medio de la noche para irse a dormir en otro lugar. Una vez que colgaron flautas para atravesar simbólicamente lo opresivo de la viga, ambos esposos durmieron toda la noche (véase fotografía 3).

Una viga en un espacio cerrado, como un pasillo, puede atrapar el chi bueno e impedir su circulación por la casa. CURA. Instalar arriba luces intensas, cubiertas por un falso techo de vidrio traslúcido, lo cual no sólo permitirá que el chi se desplace con fluidez sino que elevará el chi de los ocupantes.

Un vestíbulo angosto en Nueva York sufría la desgracia de tener cinco puertas –lo que provocaba peleas familiares–, y dos tirantes, que obstruían el paso del chi. La solución se encontró con un falso techo de "biombo shoji" iluminado por luces fluorescentes, que mejoró tanto las relaciones familiares como la circulación del chi (véase fotografías 2A, 2B).

ESQUINAS

Se considera a las esquinas salientes como estructuras lamentables. Son similares a cuchillos filosos o dedos acusadores que, amenazadores y nocivos, señalan a sus ocupantes, socavando su chi. Por ejemplo, las personas de la casa pueden quedar expuestas a robos o a críticas inmerecidas. CURA. Para solucionar una esquina así, puede colgarse un espejo en uno o ambos lados para suavizar el borde, plantar una hiedra para disimularlo o colgar una bola de cristal frente a él.

Espejo

Bola de cristal

ESQUINA
SALIENTE

COLUMNAS

Las columnas interiores juegan su papel en el feng shui. Las redondas son mejores que las cuadradas, ya que permiten al chi circular fluidamente a su alrededor. Además de obstruir al chi, las columnas cuadradas tienen ángulos afilados que apuntan de un modo amenazador a los ocupantes de la casa.

CURA. Instale espejos sobre todas las caras de la columna a fin de alentar el flujo del chi (fíjese que vayan de un borde al otro), o cuelgue una enredadera en cada esquina para suavizarlos. Una empleada de las Naciones Unidas recibió varios ascensos, mucha libertad en su trabajo y accedió a títulos prestigiosos luego de haber instalado espejos en una gran columna de su oficina. "Otros a mi alrededor trabajan tenazmente pero no van a ningún lado –aseguró–. Yo no me esfuerzo tanto y tengo mucho éxito, y suelen enviarme como representante de mi departamento ante varias conferencias que se realizan por todo el mundo."

UBICACIÓN DE LAS HABITACIONES

La ubicación de los ambientes dentro de una casa puede afectar la conducta de los residentes. Además de repercutir en el chi de sus moradores, la disposición de las habitaciones crea un patrón de actividad y poco a poco va determinando el pensamiento de las personas y su manera de pasar el tiempo. Por ejemplo, la habitación más próxima a la entrada determinará, debido a la sugestiva naturaleza de su uso y su contenido, el estilo de vida de sus habitantes, en especial si se encuentra muy cerca de la puerta principal.

Al analizar la disposición de una casa, el experto en feng shui presta mucha atención a la ubicación del dormitorio principal, la cocina y la entrada del frente, o entrada de garaje. Esto se debe a que pasamos un tercio de nuestra vida en el dormitorio, así que su efecto sobre nosotros es profundo. La cocina es el acceso a la casa y simboliza y la forma de llegar al dinero. La entrada es la primera impresión que nos transmite una casa, y es también el paso del chi.

1.-2. Los escritorios, los salas y los vestíbulos son las mejores habitaciones para ubicar cerca de la entrada. Si lo primero que se ve al entrar es una sala, los residentes se sentirán relajados y a gusto. Si en cambio es un escritorio, los habitantes de la casa tenderán a ser aficionados a los libros, a dejarse atrapar por el trabajo, el estudio o la redacción de cartas.

3. Sin embargo, si la primera habitación es una cocina, los temas domésticos girarán en torno a la comida. El hecho de ver la cocina creará una necesidad de tipo pavloviana de comida, lo que dará lugar a un consumo excesivo de alimentos. Los niños son más vulnerables y corren el riesgo de engordar. Al comer compulsivamente, tendrán dificultades con los estudios, y eso los hará acreedores a frecuentes reprimendas. Además, la cercanía de la cocina a la entrada aumenta la tendencia de que las visitas se presenten sólo a comer. Una artista plástica de Nueva York, siguiendo el consejo de un experto en feng shui, pintó un biombo que daba la bienvenida a sus invitados y desviaba la vista de la cocina y la mesa. Con felicidad descubrió que sus amigos le prestaban más atención a su arte y menos a la comida que ella les servía.

4. Si el primer cuarto que se ve al entrar a una casa es el baño, se resentirá la salud y fortuna de sus residentes, pues el dinero se escurrirá. Los moradores pasarán allí gran parte del tiempo, ya sea acicalándose y lavándose las manos o por problemas urinarios. Al llegar a su casa, sentirán la necesidad urgente de entrar al baño antes de colocar la llave en la puerta.

5. En el caso de visualizarse primero un dormitorio, quienes vivan allí estarán agotados con frecuencia y necesitarán descansar al volver.

6. Si lo primero que se ve al entrar es una sala de juegos, los ocupantes malgastarán su tiempo y dinero en el juego.
CURA PARA LOS NÚMEROS 3-6. Colgar un espejo del lado de afuera de la puerta de la habitación, una cortina de cuentas o bien un carillón si no hubiese puerta.

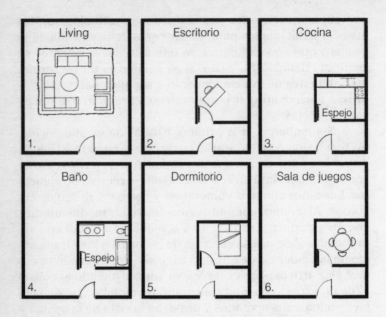

UBICACIÓN DE UN CUARTO: PRIMERAS IMPRESIONES

La mejor ubicación para el dormitorio principal es detrás del meridiano central de la casa. Lo ideal es que se lo ubique en diagonal a la puerta de entrada para que la persona tenga un máximo de control sobre su destino. Cuanto más cerca de la puerta de entrada esté el dormitorio, menos paz sentirán sus ocupantes. Si la habitación está lejos de la entrada, la cama estará más separada del mundo exterior, y por ende sus ocupantes dormirán mejor y se sentirán más seguros y tranquilos. Si el acceso está situado al costado de la casa y no mira a la calle, ubicar el dormitorio de acuerdo a la entrada, en lo posible, en el sector más lejano tanto de la entrada como de la calle.

CURA. Colgar un espejo detrás del meridiano central, mirando hacia el dormitorio, para que la habitación simbólicamente se aleje de la parte delantera de la vivienda.

Los baños y las cocinas no deberían estar ubicados sobre la línea central de la casa ya que sus residentes se enfermarían en alguna zona a lo largo de la línea central de su

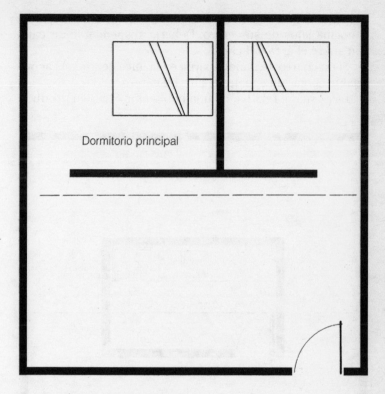

Dormitorio principal

UBICACIÓN DEL DORMITORIO

cuerpo. Si el cuarto de baño está en el centro, se acabará la suerte y el dinero. Es correcto que la cocina esté sobre la línea central y sea amplia y ancha, con buena ventilación; sus habitantes tendrán así lugar para moverse y avanzar en la vida y en lo económico. En cambio, si la cocina es angosta, o si un horno o de microondas se halla instalado a una altura mayor que las hornallas y da la impresión de oprimirlas, la persona que cocine será malhumorada, y las finanzas de la familia mermarán.

CURA. Si el ambiente es angosto, cuelgue un espejo detrás de la cocina para aumentar simbólicamente el número de hornallas y la cantidad de comida (que se interpreta como dinero) hecha. También es conveniente colgar espejos en las puertas que dan al exterior de la habitación, reflejando la cocina lejos de su centro. Debería suspenderse un carillón sobre el área del chef.

Si un cuarto de baño se sitúa en la línea central, es aconsejable colgar un espejo de cuerpo entero.

La posición relativa de una habitación también produce

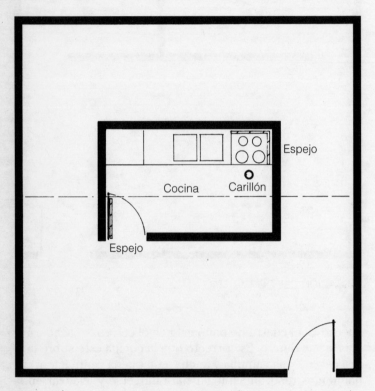

UBICACIÓN DE COCINA O CUARTO DE BAÑO

efecto sobre los habitantes de la casa. Por ejemplo, la cocina debería estar lo más cerca posible del comedor.

El baño, lugar donde el agua (símbolo de dinero) se escapa, es un símbolo de las cañerías y gastos internos de los miembros de la familia, por lo que su ubicación dentro la casa es fundamental. Los baños no deberían estar frente a la cocina (la comida simboliza la fortuna), porque de lo contrario el dinero obtenido desaparecerá, lo cual será pernicioso para la salud y las finanzas.

Un dormitorio enfrentado a un cuarto de baño también producirá un efecto nefasto sobre la salud, en especial en lo que se refiere al tracto digestivo.

CURA. Debe colgarse un espejo del lado de afuera de la puerta del baño o una bola de cristal en el paso entre el baño y la cama.

Es conveniente evitar que el inodoro o retrete se halle en un piso superior con respecto al dormitorio.

CURA. Atar una cinta roja en el techo, desde el punto mismo ubicado bajo el inodoro; llevarla por la pared más próxima y dejarla unida al piso, bajo la cama. Otra alternativa es espejar el techo.

Un baño no debería encontrarse al final de un pasillo largo pues por allí correrá el chi como una flecha y atravesará de la puerta del baño, provocando a los miembros de la familia problemas intestinales o relativos al aparato reproductivo.

CURA. Cuelgue una cortina, un carillón o un móvil en el pasillo para dispersar el chi.

El peor lugar para un inodoro es el centro de la casa, el cual, de acuerdo con el feng shui del Gorro Negro, simboliza el carácter total del universo, el tai-chi, el centro del octágono del *I Ching*.

CURA. Colocar espejos en las cuatro paredes interiores del cuarto de baño.

7

UBICACIÓN DEL MOBILIARIO

DECORACIÓN
DE INTERIORES

Junto con la estructura de una habitación, la ubicación de los muebles canaliza el chi interior y puede, de este modo, favorecer la suerte y la vida de quienes la habitan. Si bien el feng shui es aplicable a todo tipo de "mobiliario" –desde microondas y cajas registradoras hasta escritorios y mesas de comedor–, lo que generalmente influye más sobre las personas es la ubicación del artefacto de cocina, los escritorios y las camas. El modo en que se coloquen puede decidir el éxito o el fracaso de una persona.

CASAS

El dormitorio

El dormitorio nos afecta de un modo muy particular. Es el lugar donde se duerme, se descansa y se recuperan la fuerzas, por lo que la posición de la cama es importante. Lo ideal es que ésta se halle en diagonal a la puerta de modo que quien la ocupe tenga una visión más amplia y pueda ver a quien entra en la habitación para permitir, de este modo, un tránsito fluido y equilibrado del chi. De lo contrario, quienes residan allí pueden sobresaltarse, lo cual afectará su chi, poniéndolos nerviosos. Esto a su vez los perjudica en sus relaciones humanas y en su rendimiento laboral. La falta de equilibrio en el chi de quienes ocupan el dormitorio les producirá problemas tanto de salud como de personalidad.

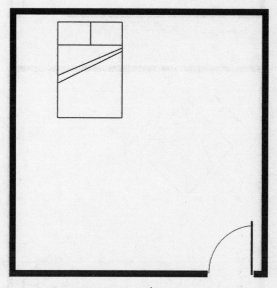

CORRECTA UBICACIÓN DE LA CAMA

Una cama debe ubicarse en diagonal a la puerta de la habitación para lograr una mayor perspectiva y permitir la visión de todo el que entra en ella.

153

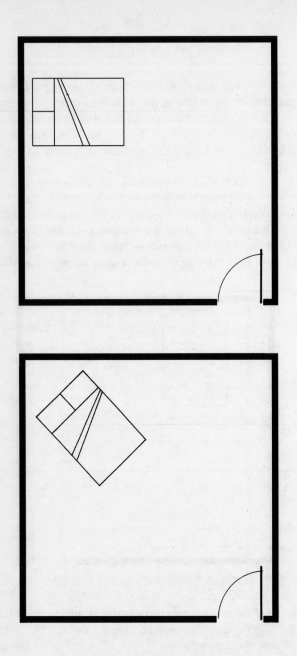

1. Si, por alguna razón, no se puede colocar la cama en diagonal con respecto a la puerta, puede colgarse un espejo de modo que se refleje en él la entrada.

2. Esta ubicación es aún menos aconsejable ya que se asemeja a la de un ataúd en una sala mortuoria, esperando su inhumación. En la China, al igual que en otros países, tradicionalmente los cadáveres se retiran con los pies hacia adelante. Se debe colgar una bola de cristal o un carillón entre los pies de la cama y la puerta para contrarrestar los efectos negativos.

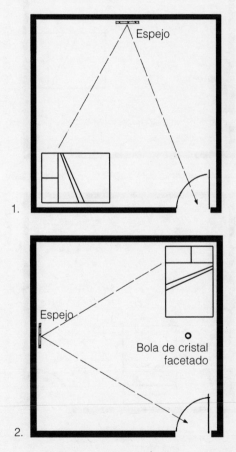

CURAS PARA LA UBICACIÓN DE LAS CAMAS

3-4. En estos dormitorios, sus ocupantes estarán demasiado pendientes de la puerta, por lo que cualquier ruido los alertará de un modo extraño y desequilibrado, que en definitiva afectará su vida y su rendimiento aun lejos del dormitorio.

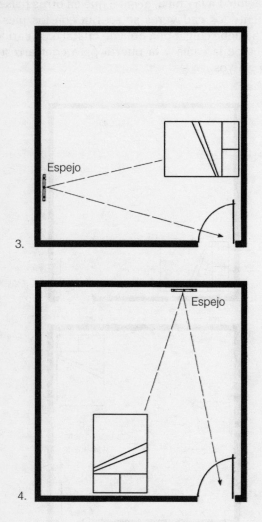

La cocina

Dentro de la cocina, los expertos en feng shui ponen una especial atención en la ubicación del artefacto de cocina y del aparato que usan para cocinar el arroz. La cocina representa la riqueza: la palabra china que significa comida *(ts'ai)* se pronuncia igual que la que significa riqueza. La lógica sigue un círculo positivo: la comida alimenta la salud y la eficiencia de una persona, por lo que cuanto mejor sea la comida más capaz será la persona y mayores sus posibilidades de ganar dinero, lo que a su vez hará que la calidad de su comida sea mejor. Puede haber también un círculo negativo: cuanto más pobre sea una persona peor será su comida, por lo que ganará menos dinero.

Lo ideal es que quien cocine pueda ver a quien entra en la cocina, porque de lo contrario se verán afectados la salud, prosperidad y relaciones personales de los moradores. Si el cocinero se sobresalta, se desata una reacción de nervios en cadena. Por ejemplo, si el marido abraza a su mujer sorprendiéndola, ya sea que ella esté cortando zanahorias o inclinada sobre la cocina, puede ser que esto la enoje; esta situación afectará la relación de ambos esa noche y repercutirá en la oficina al día siguiente. En un restaurante, si quien sufre el sobresalto es el jefe de cocineros, todo se verá afectado, desde la calidad de la comida hasta la actitud de los camareros y el ánimo de los clientes.

El cocinero debería trabajar en un sitio espacioso, con abundante iluminación y bien ventilado. Un artefacto de cocina ubicado contra un rincón inhibirá los movimientos del cocinero y el flujo del chi, lo cual hará disminuir la calidad de la comida que, por ende, dañará la salud, la prosperidad, el trabajo y la relación de los integrantes de la familia.

Simbólicamente, el artefacto de cocina también influye de un modo particular en las finanzas del hogar. Debe estar limpio y funcionar correctamente de modo que el dinero *(ts'ai)* pueda entrar en la casa con facilidad. Si los quemadores están tapados, los negocios padecerán infinidad de dificultades. La prosperidad de la familia puede verse afectada por la cantidad de quemadores en uso: cuantos más se utilicen, más dinero se ganará; si algunos no se usan con regularidad la familia no prosperará.

CURA. El uso de espejos o aluminio en las paredes de atrás y, si fuera necesario, a los costados del artefacto de cocina permitirá que haya una atmósfera más placentera y una mayor suavidad en los movimientos. El reflejo de cualquiera que entre en la cocina hará que el cocinero esté más feliz y menos nervioso. Asimismo, el aumento simbólico de la cantidad de quemadores aumenta las ganancias, aun tratándose de artefactos pequeños. Si un artefacto de cocina está frente a una pared con una ventana, aun cuando tener una hermosa vista produzca efectos positivos en el cocinero, conviene que haya un sector en donde se refleje la puerta, o bien colgar un carillón o una bola de cristal facetado en la misma línea que la puerta y el artefacto.

En la fotografía 5B se muestra una cocina donde un espejo refleja a quien entra en ella, crea una sensación de más espacio junto al artefacto que está arrinconado y, simbólicamente, duplica el número de quemadores.

He aquí, ilustradas, otras posibilidades:

1. La posición del artefacto de cocina es muy buena. El cocinero puede ver con facilidad a cualquiera que entre.

2. Ubicar el artefacto de cocina como una isla es lo mejor, ya que permite una disposición más espaciosa.

3. La ubicación del artefacto de cocina es mala para la estabilidad y las finanzas de la familia.

CURA. Colgar un carillón o una bola de cristal facetado entre el artefacto y la puerta.

4. Esta posición del artefacto de cocina trae mala suerte.

CURA. Instalar un espejo sobre el artefacto para reflejar a los intrusos.

5. El artefacto de cocina no sólo está mal ubicado sino también arrinconado, lo que puede afectar a los moradores en su desempeño laboral.

CURA. Colocar espejos en las paredes como se ve en la ilustración.

6. Esta es una mala disposición.

CURA. Colocar un espejo en la pared del costado. Así, también se aumentará simbólicamente la cantidad de quemadores.

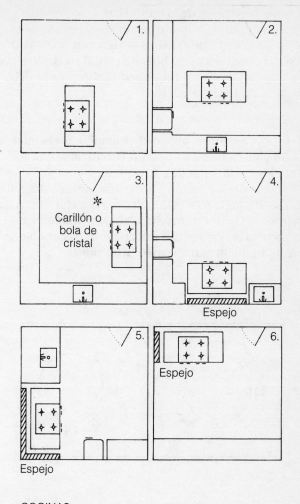

COCINAS

El Comedor

Los expertos en feng shui consideran la ubicación del
área del comedor del mismo modo que la de la cocina; no

debe estar muy cerca de la entrada, o de lo contrario los invitados comerán y se irán rápidamente. Si éste es el caso, ocúltelo de la vista de quienes entren con puertas o cortinas de cuentas; hasta una bola de cristal facetado sirve como biombo simbólico. El huésped homenajeado debe sentarse mirando hacia la puerta.

Comedores:

1. Este comedor es bueno si es amplio. Si el ambiente es pequeño y no tiene otras puertas o ventanas, hay que agregar espejos en las paredes. Los espejos a su vez duplican, simbólicamente, los platos y la riqueza (véase fotografía 12).

2. En este ambiente están bien las puertas corredizas si se trata de un restaurante. Sin embargo, tratándose de una casa, las puertas corredizas deben permanecer abiertas para que no impidan el desarrollo profesional.

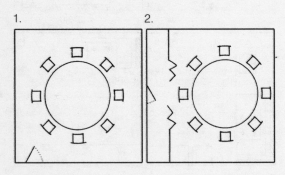

COMEDORES

Formas de mesas.

1-3. Formas apropiadas.

4. Un rectángulo es bueno si no es demasiado largo.

5-6. Si a la mesa del comedor le faltan las esquinas, no trae buena suerte.

7. Una excepción a la regla de las "sin esquinas" es una mesa que sea un verdadero octágono, ya que es una forma muy favorable.

160

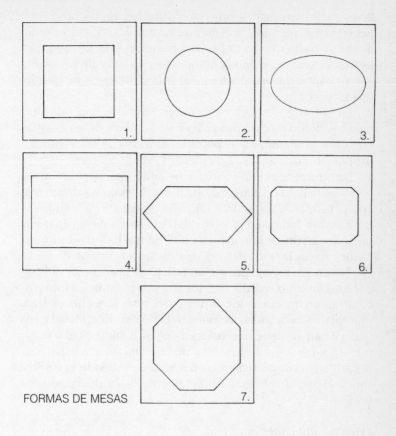

FORMAS DE MESAS

La sala

En general, tanto los invitados como los anfitriones deben mirar hacia la puerta, aunque no en línea recta hacia ella. Los invitados deben sentarse en una posición de "comando" (c), en diagonal a la puerta, y el anfitrión a un costado en una posición de "seguridad" (s) para tener una visión más amplia de la sala y la puerta (véanse ilustraciones en página 163).

La ubicación de los muebles es importante. El confort y la hospitalidad dependen del sentido común. Por ejemplo, las disposiciones geométricas dan una impresión de formalidad, mientras que los objetos agrupados sin un orden especial crean un ambiente más acogedor. Una señora de un elegante barrio residencial neoyorquino advirtió que sus fiestas se volvían menos conflictivas cuando cambió de lugar un banco que estaba frente al sofá y lo colocó formando una L con él.

En la fotografía 8A, los sofás en módulos han sido dispuestos de un modo favorable creando parte de un ba-gua. En la fotografía 8B, los espejos en el nicho de las ventanas producen una mayor luz y reflejan la vista exterior.

Las chimeneas son cálidas y beneficiosas, pero los muebles demasiado próximos o que miran hacia ellas deben ser compensados colocando sobre ella un espejo, o bien plantas a ambos lados. En la fotografía 9, el modo de agrupar los muebles favorece la conversación. Se los ha orientado mirando hacia la entrada, y a una distancia apropiada de la chimenea. Un espejo provee un reflejo de la entrada, y el hogar está favorablemente flanqueado por plantas. La fotografía 10 muestra cómo los espejos del piso al techo realzan una sala de varias formas: reflejan el río exterior, visualmente duplican el espacio, producen mayor luminosidad y ocultan un dormitorio detrás del panel de una puerta espejada; resuelven un departamento en forma de L donde el dormitorio principal sobresale directamente de la puerta de entrada.

Otras posibilidades para una sala.

1.-6. Éstas son las mejores ubicaciones. En la sala número 3, los muebles no deberían quedar demasiado cerca del hogar. Es mejor colgar un espejo sobre él y colocarle plantas a ambos lados.

7. El sofá está muy cerca de la puerta y no mira hacia ella. (Los sofás de las salas números 3 y 4 también deberían alejarse treinta centímetros o más de la puerta.)

8. Esta disposición no es buena porque los muebles están todos orientados hacia la chimenea.

9. Esta disposición en forma de ba-gua es favorable y, a la vez, invita a la conversación.

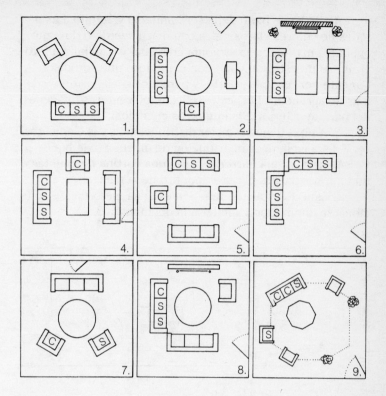

LA SALA

El cuarto de baño

El cuarto de baño, donde el agua –que simboliza el dinero– entra y se va, representa la circulación interior de sus ocupantes y sus finanzas. Hay que evitar poner el inodoro frente a la puerta para que no se vea al entrar, o de lo contrario los moradores pueden sufrir pérdidas económicas, trastornos de salud, o fracasos. Lo mejor es procurar que no esté a la vista (véase fotografía 7A).

CURA: Ubicar el inodoro lo más lejos posible de la puerta o compartimentarlo para protegerlo de quien entre. Otras soluciones son colocar un carillón entre el inodoro y la puerta, o bien colgar un espejo del lado de afuera de la puerta.

Un cuarto de baño debe ser luminoso y amplio. Las paredes de colores claros, tales como azul, verde o durazno, ayudan a mantener la armonía conyugal y familiar. La fotografía 7B muestra un baño con el inodoro ubicado discretamente detrás de la puerta, y paredes espejadas que, además de agrandar el espacio, reflejan placenteras imágenes del parque exterior. He aquí otros ejemplos:

1-2. Ambas tienen la mejor distribución de sus elementos.

3. Ésta es la peor distribución de un cuarto de baño. CURA: Instalar una barrera, ya sea una cortina de cuentas o un biombo, para separar el inodoro de la puerta.

4. Esta distribución también es mala, pero puede solucionarse de un modo similar a la del número 3.

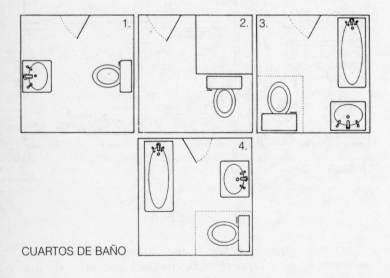

CUARTOS DE BAÑO

La iluminación

Si bien lámparas y luces se usan generalmente como soluciones básicas en el feng shui para corregir desequilibrios y activar y recircular el chi, la iluminación de un lugar puede afectar el estado de ánimo, las actitudes y la eficiencia de sus moradores. Luces y lámparas simbolizan el sol, y se considera que son esenciales para una saludable y fluida circulación del chi, o sea que cuanto más intensas, mejor. (Si una lamparita eléctrica se quema, debe reemplazársela por otra de la misma, o mayor, intensidad.) Hay algunas excepciones. Aunque una casa oscura puede resultar depresiva para sus habitantes, algunas veces pueden convenir las luces tenues para el funcionamiento de un restaurante. Por ejemplo, un experto en feng shui que visitó Elaines's, renombrado restaurante de Nueva York, comentó que la oscuridad del lugar creaba una atmósfera suave y relajante. Por otra parte, dijo que en otro restaurante de Nueva York, Auntie Yuan, las luces direccionales que enfocan unos pequeños floreros actúan como soles en miniatura que "aumentan tanto el chi de los comensales como la suerte del local". (Véase fotografía 16C.)

El color de paredes y muebles

El color de las paredes y los muebles depende de la iluminación y el tamaño de la casa u oficina. Generalmente, si la casa u oficina es grande y luminosa, los colores de paredes y muebles pueden ser tanto oscuros como claros. Sin embargo, si no hay demasiada iluminación, o si la casa es pequeña, los colores claros le darán vida.

Hay algunos colores específicos que favorecen ciertas situaciones del hogar o la oficina. En la casa, para dormitorios y cuartos de baño hay que usar tonos pastel como el azul, el rosa o el verde. Un joyero debe evitar una decoración en amarillo. Esto se debe al viejo dicho chino de que "Un hombre que envejece es similar a una perla que se pone amarilla", lo que significa que en cierto momento ambos pierden valor. El verde es conveniente para la decoración de una posada en la playa, una pescadería o un restaurante de frutos de mar por ser el color de frutos de mar muy valiosos como las langostas, langostinos y centollas cuando están vivos. Por esta razón no es aconsejable usar el rojo en la decoración de estos lugares, ya que es el color de dichos frutos cocidos, y por lo tanto muertos. En líneas generales, el rojo es un color favorable.

EMPRESAS Y LUGARES DE TRABAJO

La oficina

Para muchos chinos, el feng shui es fundamental en el arte del manejo de los negocios. De hecho, ahora que ciertas compañías occidentales están incorporando estrategias de poder orientales tales como la práctica del kung-fu y las técnicas de los samurai en las salas de directorio, el feng shui puede ofrecerles otra posibilidad de lograr ventajas económicas sobre sus competidores. Bancos orientales y occidentales, restaurantes y compañías en toda Asia y Estados Unidos consultan a expertos en feng shui. Un vicepresidente ejecutivo del Citibank comentó que ellos siempre consultan con un experto en feng shui para la decoración de sus oficinas en Asia, porque de lo contrario era muy probable que sus empleados chinos renunciaran. Incluso un cliente les aconsejó con una sonrisa que tal vez podrían aumentar sus ganancias si desechaban el feng shui, reduciendo así los excesivos gastos de su presupuesto. Pero en esto el Citibank no es el único: el Banco Chase de Asia, la firma Paine Webber, McKinsey and Company, el Banco Morgan y las oficinas del *Asian Wall Street Journal* han adoptado también el feng shui.

Unos meses después de que el gerente del Banco Chase de Asia, que había desestimado las advertencias de un experto en feng shui, murió en un accidente de aviación en Kuala Lumpur, el Banco se mudó. Los ejecutivos de dicho Banco atribuyen este traslado a la insistencia con que los empleados pidieron el feng shui. Aparte de la oficina del gerente fallecido, todo el viejo edificio del Chase era una pesadilla para el feng shui. Además de tener unas ventanas siniestras con forma de ataúd, el alto edificio miraba hacia un cementerio en Happy Valley. Actualmente, ese edificio lo ocupa el *Asian Wall Street Journal,* y sus empleados, supersticiosos aunque precavidos, insistieron en contar con las medidas protectoras del feng shui.

El Banco de Hong Kong y Shanghai le pagó a un experto en feng shui quinientos dólares para que los aconsejara en el diseño de la oficina temporaria de su presidente mientras se terminaba la casa matriz, construida bajo las normas del feng shui. Hasta se aplicó el criterio del feng shui para decidir cuándo y dónde guardar provisoriamente unos leones de bronce que flanqueaban la entrada del viejo edificio, y hacia dónde orientarlos. Cada vez que inauguran una nueva sucursal, contratan a un experto para que elija la fecha apropiada, evalúe la ubicación de la entrada y participe de la ceremonia de inauguración.

Donald Dougherty, vicepresidente de relaciones empresariales del Banco, comentó que recientemente habían utilizado el feng shui en sus nuevas oficinas centrales de Hong Kong, que se los consideraba como poseedores del feng shui más perfecto y que, por lo tanto, los chinos los apreciaban muy especialmente. Norman Foster, el arquitecto que puede atribuirse el honor de haber construido el edificio más caro del mundo, contó con el asesoramiento de un experto de feng shui en todas las fases del proyecto.

Cuando, a principios de 1986, se inauguró la casa matriz, un sacerdote feng shui estaba presente para ayudar en el oficio de los aspectos más sagrados de la ceremonia. (A pesar de todo, los chinos creen que el edificio tiene un mal feng shui. Algunos han cerrado sus cuentas bancarias por temor a que, al haber más escaleras descendentes que ascendentes, el dinero descienda, se vaya por la puerta y se pierdan los ahorros.)

Cuando McKinsey and Company, una empresa consultora con sede en Nueva York, abrió una sucursal en Hong Kong en 1986, eligieron el edificio, piso y oficina sobre la base de números de buena suerte (con gran preponderancia del favorable número ocho). En la etapa del proyecto, el arquitecto sugirió que contrataran a un experto en feng shui, y éste eligió la ubicación del área de recepción y de los escritorios. También aconsejó pintar la sala de espera de color rojo y colocar una piedra en un rincón de la oficina del gerente. Según el gerente ningún chino trabajaría allí si no hubieran contado con la aprobación de un experto en feng shui. "Lo hicimos como una necesidad cultural", afirmó. "No puedo decir que nos haya ayudado a mejorar económicamente, pero a nuestro personal le gusta y los clientes suelen frecuentar nuestras oficinas porque sienten que tienen una atmósfera y energía positivas. Nuestra propia imagen crece al demostrarles que comprendemos sus necesidades culturales."

No sólo los chinos adhieren a la sabiduría del feng shui. Muchos hombres de negocios y banqueros estadounidenses que regresan después de haber trabajado en el Lejano Oriente han adoptado el feng shui, convencidos de que sin él no van a tener éxito.

William S. Doyle, vicepresidente ejecutivo de una agencia de publicidad de Nueva York, quien envió el anteproyecto de su oficina de cinco mil metros cuadrados a un experto en feng shui de Hong Kong, explica: "La gente no comprende que son tres mil años de sentido común. Es también un arte, y todo lo que se hace tiene un porqué. Se trata de algo práctico y pragmático, no del capricho de un decorador que viene y cambia los muebles de lugar."

Ubicación de los escritorios

En cualquier empresa, la primera consideración a tener en cuenta por el feng shui es la oficina del gerente. Los chinos confían en que la suerte de toda una compañía yace en la buena ubicación del presidente y el gerente. El gerente debe sentarse en una posición de comando para ejercer la autoridad sobre los empleados. La autoridad generalmente emana de la oficina que se encuentre en el rincón más alejado de la puerta de entrada. Las reglas son fundamentalmente las de *¡Poder!* al estilo chino, que anticipan y coinciden con los conceptos sobre la ubicación de poder expuestos en un reciente libro sobre las jerarquías en las empresas y los juegos de poder.* En efecto, un ejecutivo de una pequeña firma de comercialización de Los Angeles, que estaba constantemente en desacuerdo con su socio, comprobó que cuando la empresa se mudó y él ocupó un despacho ubicado en una esquina, las cosas comenzaron a salir como él quería. Una socia del estudio de arquitectura Skidmore,

---

* Michael Korda. *Power: How to Get It, How to Use It.* (Nueva York: Ballantine, 1976).

Owings y Merrill, de Nueva York, se rehusó a mudarse a una nueva oficina por consejo de un experto en feng shui. Se trataba de un cuarto inaccesible a donde todo el que quisiera ir tendría que pasar primero por un pasillo angosto y sinuoso. Según el experto, quien ocupara esa oficina estaría siempre discutiendo con sus colegas. Hoy en día, instalada en un sitio auspicioso, de fácil acceso, sostiene que sus compañeros de trabajo se maravillan con el poder que emana de su oficina. Así como los muebles más importantes en una casa deben colocarse en diagonal a la puerta, lo mismo sucede con los escritorios. Es la posición de poder para lograr el máximo de dominio, concentración y autoridad. Los empleados que allí se sienten tendrán un mayor campo visual y se sentirán seguros de sí mismos. Es el mejor lugar para

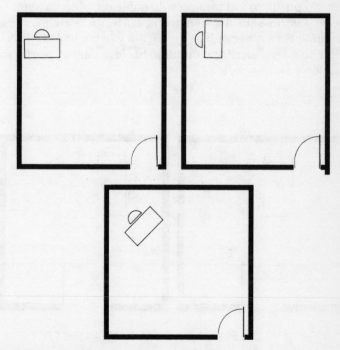

BUENAS UBICACIONES PARA ESCRITORIOS

negocios en expansión. Esta ubicación evita también los sobresaltos en el trabajo, situación que desequilibra el chi y perjudica el trabajo al producir un estado de nervios y facilidad para perder la calma y distraerse. Si no es posible colocar el escritorio en diagonal a la puerta hay que colgar un espejo que refleje a todo el que entre en la oficina. Los espejos pueden también reflejar imágenes de un río (simbólicas de dinero que fluye) como también aumentar visualmente el espacio en oficinas pequeñas (véase fotografía 14).

Existen infinidad de historias sobre lo eficaz que es una correcta ubicación del escritorio. Un ejemplo es el de la empleada de una revista de arte que trabajó en ella durante tres años sin conseguir ningún ascenso. Incluso, no tenía novio. Ante tanta frustración, recurrió al consejo del feng shui. El experto le aseguró que debía alejar el escritorio de la pared de modo de poder tener una posición de comando sobre la puerta. Según ella dijo, a los pocos días sintió un cambio positivo, y al mes no sólo había recibido un aumento de salario sino que tenía una corte de pretendientes. (Cuando tuvo que cambiar de oficina y le fue imposible colocar su nuevo escritorio mirando hacia la puerta, perdió su empleo y su popularidad.)

ESCRITORIO DEL EDITOR:
Antes

ESCRITORIO DEL EDITOR:
Después

Un editor de Nueva York que sufría por exceso de trabajo y padecía de herpes, consultó con un experto. Colocó el escritorio, que no miraba hacia la puerta, en la dirección correcta y, a la semana, tanto el cansancio por el trabajo como los herpes disminuyeron. Comentó: "No sé si se trata de una coincidencia pero es notable cuánto mejor me siento ahora". Cinco meses después, cuando lo nombraron editor en jefe de la sección libros para adultos, sostuvo: "Creo que puedo decir que el feng shui es cierto. Me ha dado tanto resultado que otros editores están cambiando la ubicación de sus respectivos escritorios".

Darle la espalda a cualquier puerta, incluso una puerta de incendios o de servicio, puede traer mala suerte. Muchas cosas van a suceder a nuestras espaldas. Una empleada de un Banco de California, siguiendo el consejo de un experto en feng shui, mudó su escritorio que estaba de espaldas a la puerta. Poco tiempo después, la siguiente persona de esa fila perdió el trabajo (véase ilustración más abajo).

OFICINA DE BANCO

Sentarse con la espalda hacia una puerta es buscarse problemas. En la oficina del gerente de una importante compañía de California, tres supervisores consecutivos no sólo fracasaron, sino que seis meses después de su nombramiento fueron bajados de categoría.

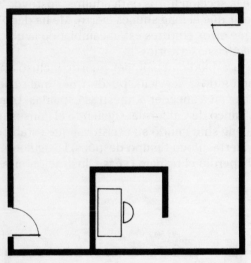

OFICINA DE LOS GERENTES DESAFORTUNADOS

Evite tener a sus espaldas ventanas interiores de vidrio. Un joven ingeniero y contratista compró una panificadora de venta al por mayor en la península de Monterey que estaba casi en quiebra: sus tres dueños anteriores, uno tras otro, se habían visto obligados a mal venderla. Tuvo que enfrentarse con diversos problemas laborales: empleados descontentos, con la moral baja y escasa productividad; poca disposición para el trabajo y mercadería de baja calidad. Utilizando curas del ru-shr –sus propias ideas comerciales– y del chu-shr, pudo darle un vuelco al negocio. Entre otros cambios feng shui, instaló espejos para duplicar los negocios, facilitar el curso del chi y resolver la sensación de inseguridad de tener una ventana detrás de su escritorio.

También acomodó el área de las "personas serviciales" (véase capítulo 8). Al poco tiempo, uno de sus panaderos creó un producto nuevo de excelente calidad que comenzaron a fabricar a granel y se vendió muy bien; un trabajador independiente del rubro ofreció sus servicios, las ventas se duplicaron y el estado de ánimo de todos cambió. Dice el dueño: "No sé bien por qué, pero esto del feng shui realmente funciona".

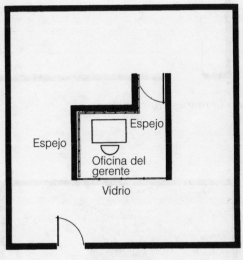

FÁBRICA DE PAN

La autoimagen y las actitudes de los demás se ven afectadas por la ubicación del escritorio. Si el jefe está sentado demasiado cerca de la puerta, será tratado como un subalterno y se le perderá el respeto, mientras que su secretaria, al ocupar una posición de poder, será quien maneje la oficina.

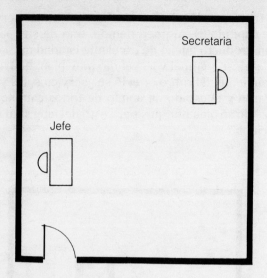

Esta oficina la maneja la secretaria.

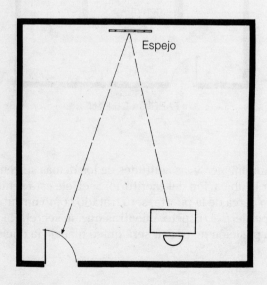

OFICINA DE ALGUIEN QUE SE VA TEMPRANO DEL TRABAJO

Los empleados que se sientan cerca de la puerta van a dejar de trabajar antes de finalizar el horario laboral y evitarán quedarse trabajando fuera de hora. Estarán prestándole demasiada atención a la puerta y pensarán constantemente en regresar a su casa.

CURA: Colocar un espejo de modo que desvíe la atención de los empleados, alejándola de la puerta.

Una situación de gran tensión para un empleado es la de estar sentado directamente frente a su jefe, ya sea dándole la cara o la espalda, porque le produce una inestabilidad en su chi.

CURA: Colocar un tazón con agua, ya sea con un pez o sin él, o una bola de cristal sobre el escritorio para crear un ambiente más sereno.

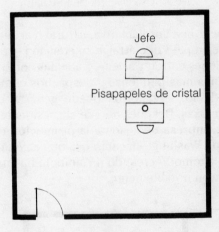

INCORRECTA UBICACIÓN JEFE/EMPLEADO

Algunas oficinas parecen aulas. Esto es cuando el jefe se sienta cerca de la puerta como un preceptor que cuida que no se escapen los alumnos. Puede ser que el jefe tenga una visión muy amplia del lugar, pero esta ubicación lo hace sentir inestable e irascible. El mal humor resultante irá en detrimento de toda la oficina, que por lo tanto trabajará mal y con desánimo.

175

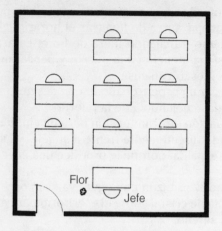

OFICINA TIPO AULA DE ESCUELA

CURA: Colocar una flor llamativa, natural o artificial, entre el jefe y la puerta para que atraiga su atención –con lo cual se fijará en quiénes entran y salen–, y además como protección.

En oficinas más pequeñas y despachos compartidos, la ubicación de los escritorios puede generar condiciones muy beneficiosas. Después de que el presidente de Vintage Northwest, empresa dedicada a la promoción de los vinos del estado de Washington, cambió la ubicación de los escritorios y los acomodó creando un símbolo ba-gua, sus negocios mejoraron notablemente.

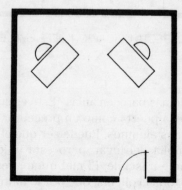

UBICACIÓN DE LOS ESCRITORIOS CON CRITERIO DE BA-GUA

Lila Gault, vicepresidenta de la firma, comenta: "Fue algo impresionante. En un mes todo mejoró. A pesar de que antes no estábamos mal, sentimos una infusión de energía positiva que influyó favorablemente en nuestros negocios, y nos permitió comunicarnos mucho mejor".

Ante la sugerencia de un experto en feng shui, una artista plástica de Nueva York mudó su escritorio, desde el dormitorio hasta el tercero y último piso de su casa (la cabeza o puesto de comando). Colocó el mueble en diagonal a la puerta (véase fotografía 15), y desde entonces su carrera ha despegado y su trabajo comenzó a tener reconocimiento del público. "Cada vez que estoy frente a mi escritorio me siento confiada, y las invitaciones para mis exposiciones las envío siempre desde allí", comentó.

Si un pasillo (a menudo visto como la boca de un dragón) o cualquier otro elemento fuerte, tal como una esquina o una persona potente, están enfocando hacia su escritorio, enviándole su fuerte chi, cuelgue un carillón al borde del escritorio o coloque una bola de cristal en dirección al pasillo. Un vicepresidente del Banco Morgan, cuyo escritorio quedaba a la vista del director general, dice que cada vez que salía de su oficina se sentía más seguro si dejaba sobre su escritorio un pisapapeles de cristal en el ángulo adecuado para que lo protegiera. Las plantas también brindan protección.

Si se sabe algo sobre el equilibrio y se conocen las reglas del feng shui, toda persona de negocios puede realizar el feng shui en su propia oficina. Un mayorista en bebidas alcohólicas, el editor de una revista y el titular de una organización filantrópica que pasaba por una mala situación económica informaron sobre grandes progresos en su rendimiento personal y en los resultados de sus respectivas empresas luego de ubicar sus escritorios mirando hacia la puerta. El último de ellos relató que al día siguiente de hacer el cambio, le llegó un subsidio de veinte mil dólares que hacía tiempo había solicitado y que ya no esperaba recibir; al otro día recibió además otro subsidio que ni siquiera había pedido. "Voy a abulonar mi escritorio al piso", agregó con una sonrisa.

Algunas oficinas están diseñadas de modo que es imposible mover los escritorios. Si se mira a la pared, hay que colgar un espejo en ella o colocar uno sobre el escritorio. Si la idea de colgar un espejo causa desagrado, subrepticiamente coloque uno en un cajón del escritorio en la dirección elegida como una protección simbólica.

ESCRITORIO EXPUESTO

Computadoras

Según los expertos modernos en feng shui, las computadoras afectan el chi. Pueden resultar positivas, vivificantes y estimulantes en una oficina. Pueden acrecentar la sabiduría y el conocimiento. Sin embargo, quien trabaje con una computadora debe estar mirando a la puerta, o de lo contrario, al cabo de un tiempo padecerá estrés y hasta neurosis. Un ejecutivo de un Banco de Nueva York descubrió que su trabajo era menos agotador, y que le resultaba más fácil concertar nuevos negocios cuando, siguiendo la sugerencia de un experto en feng shui, cambió de lugar su computadora, con lo cual, en vez de darle la espalda a la puerta, quedó sentado frente a ella. Y explicó: "Estoy menos nervioso, más controlado, y siento que puedo desarrollar nuevos proyectos de negocios que antes parecían eludirme".

Cajas registradoras

En tiendas y restaurantes, la caja registradora debe estar ubicada de modo que el cajero tenga una buena visión de la puerta para que pueda percibir tanto a clientes como a posibles ladrones. Un espejo colgado detrás de la caja ayudará a aumentar las ganancias al atraer negocios y duplicar simbólicamente el contenido de ésta. En un restaurante, los espejos colgados detrás de la barra y de los estantes donde se guardan los vinos duplican la cantidad de bebidas alcohólicas que se vende y dan sensación de profundidad. Otros elementos atractivos, tales como plantas, iluminación, acuarios, flores y colores, también cumplen la función simbólica de atraer clientes (véase fotografía 16B).

LA POLÍTICA

Aunque parezca que la meta primordial a nivel terrenal del feng shui es la de hacer dinero, los chinos lo han usado desde tiempos inmemoriales para obtener poder político. Lo más probable es que la primera oficina planificada por un seguidor del feng shui haya sido la de un antiguo emperador chino. Durante miles de años eran esos expertos los que decidían dónde debía sentarse y hacia dónde debía mirar el emperador para ejercer mejor el control, el poder y la justicia en su reino. Los chinos creían que el trono del emperador representaba la fortaleza del país, y que si al emperador le iba bien, la nación seguiría su ejemplo. (En Washington, varios políticos de alto rango consultaron a Lin Yun, supuestamente para obtener consejos de feng shui.)

Después de examinar una foto del Salón Oval de la Casa Blanca, un experto en feng shui sugirió algunos cambios que podían resultar provechosos tanto para el Presidente como para los Estados Unidos.

Una de las cosas que dijo fue que el Presidente se sentaba muy cerca de la pared que tenía a sus espaldas. Para solucionar este desequilibrio, había que adelantar el escritorio entre diez y trece centímetros. Eso no sólo mejoraría su reputación y su poder al ayudar que su chi se elevara y circulara, sino que también ampliaría su perspectiva de las cosas, abriéndole la mente a nuevas formas de resolver los problemas del país; todo eso afectaría beneficiosamente el futuro de la nación. Agregó que el cambio sería bueno tanto para la salud y seguridad personal del mandatario, como para su paz y lucidez mental.

Sugirió también, que los sofás de paño blanco del Presidente se colocaran inclinados en forma de ba-gua. El modelo de los asientos también es importante. Los sillones con respaldos compactos harían que los asesores y amigos le brindaran mayor apoyo.

Y como toque final, aconsejó colgar algún adorno sobre la ventana central: podía ser una flor roja, una fotografía o una luz, pero lo mejor sería el emblema presidencial. Sea quien sea el presidente, su puesto representa la fuerza del país. El adorno incrementaría el chi del Presidente, y por ende el de la nación. Si no se instalaba el emblema, el Presidente gobernaría a su país pero tal vez no lo controlaría.

ALARMA MÍSTICA CONTRA LADRONES

El feng shui se usa también para la seguridad. Luego de que robaran un Banco en California hace ya diez años, su dueño solicitó la ayuda de un experto en feng shui, y éste le recomendó colocar una campana sobre la puerta que da a la zona de las cajas para que sonara cada vez que se abriera la puerta. A modo de alarma primitiva aunque efectiva, dijo, ésta desalentaría a posibles ladrones. El diseñador gráfico Milton Glaser, luego de que le robaran seis veces, colocó un reloj rojo y una pecera con seis peces negros como una especie de sistema de seguridad místico. Desde entonces, ni él ni el Banco han padecido robos.

Otro medio místico de proteger un negocio es colocar cerca de la caja registradora un jarrón, que simboliza la paz, con una cinta roja atada alrededor, y encima de él colgar una flauta de bambú atada con una cinta roja. La flauta hace las veces de espada simbólica que protege las ganancias y a sus dueños, como de canal que conduce el chi hacia arriba a través de los distintas tramos de la flauta para ayudar al progreso de los negocios (véase fotografía 16A). Si la flauta se cuelga de un modo incorrecto de modo que conduce el chi hacia abajo, el negocio sufrirá tropiezos. Esto sucedió en una tienda de California, pero el negocio prosperó cuando las flautas se colocaron hacia arriba. Si los alrededores del lugar son peligrosos, el hecho de colocar dos puertas puede ayudar a filtrar la entrada del chi exterior dañino.

8

EL BA-GUA

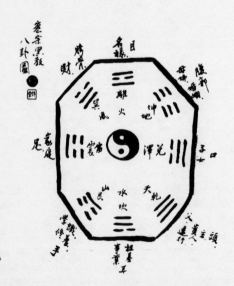

EL BA-GUA

Además de los métodos prácticos que se utilizan para realzar el medio que nos rodea, se puede mejorar el chi aplicando un principio filosófico –el ba-gua del *I Ching*– a una parcela de tierra, una casa, una habitación, un mueble o una persona. Aunque tiene sus raíces en el misticismo antiguo,

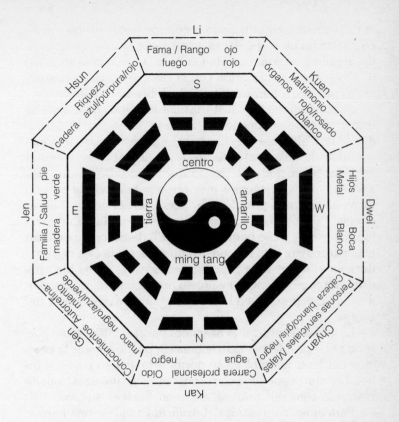

Li
Fama / Rango · ojo
fuego · rojo
S

Hsun
Riqueza
azul/púrpura/rojo
cadera

Kuen
Matrimonio
órganos
rojo/rosado
/blanco

centro

Jen
Familia / Salud · pie
madera · verde
E

Dwei
Hijos
Metal
Boca
Blanco
W

tierra

amarillo

ming tang

Gen
Conocimientos · Autoretina:
mano negro/azul/verde

Chyan
Personas serviciales /Viajes
Cabeza blanco/gris/ negro

Kan
Carrera profesional · Oído
agua · negro
N

EL BA-GUA Y SUS CORRESPONDIENTES ELEMENTOS, PARTES
DEL CUERPO, COLORES Y SITUACIONES DE VIDA.

puede aplicarse a situaciones cotidianas en una forma bas-
tante práctica. El proceso completo se basa en una forma in-
ternalizada del ba-gua. Se trata de un octágono dividido en
ocho situaciones de vida: el matrimonio, la fama, la riqueza,
la familia, los conocimientos, la carrera laboral o profesional, las personas serviciales y los hijos. Los expertos de la
secta del Gorro Negro sencillamente memorizan el ba-gua y
lo superponen sobre habitaciones, sobre edificios y hasta
sobre camas. Utilizan el ba-gua como guía para interpretar
la vida y los problemas de una persona, y también como cura para resolverlos. Dado que es normal que todo el mundo
se enfrente con problemas y desgracias durante su vida –en

el matrimonio, en el trabajo o con los hijos–, el ba-gua se convierte en un mapa del estado en que se encuentra la vida de una persona. Los chinos creen que la comprensión del ba-gua y de su relación con la casa, el cuerpo y la suerte, les permite influir místicamente sobre su propio destino.

Se cuentan muchas historias sobre cómo se ha logrado torcer la mano del destino "ajustando" el ba-gua. Una estudiante de California asegura haber sido aceptada en la universidad de su preferencia después de haber activado el área del "conocimiento" en su dormitorio. Un empresario sostiene que sus negocios mejoraron notablemente cuando hizo ajustes en la posición de "personas serviciales" de su oficina. El propietario de un restaurante modificó unas refacciones que ya se habían terminado de hacer, cuando un experto en feng shui le aconsejó que pusiera la caja registradora en el lugar de la riqueza. Todos estos casos bien podrían ser predicciones que por su propia naturaleza tienden a cumplirse, pero muchos creen ciegamente en el poder del ba-gua.

La forma de utilizar el ba-gua es muy sencilla. Si una persona tiene problemas matrimoniales, puede ajustar la posición del "matrimonio" en su dormitorio. Por su parte, si un hombre de negocios quiere mejorar sus finanzas, puede realzar la zona de "riqueza" en su oficina o en su casa.

Para ajustar o realzar determinada zona de una habitación o de la vida se puede utilizar cualquiera de las Nueve Curas Básicas: espejos, carillones de viento, luces, etcétera. (Véase capítulo 3.) Estos nueve métodos generalmente se emplean indistintamente para ajustar la posición del ba-gua según la necesidad y el gusto individual de cada persona. Por ejemplo, si alguien quiere más dinero, puede colocar una planta o una pecera en la posición *hsun* o del dinero de su oficina, o bien un carillón en la zona *hsun* de su dormitorio. Para subir de rango dentro de una empresa puede instalar una máquina pesada o una computadora en la posición de la carrera profesional o *kan*.

Una señora mayor, de la ciudad de San Francisco, consideró que no había dejado nada en manos del destino cuando reforzó cada una de las ocho áreas o *guas* de su dormitorio. En la zona del matrimonio colocó una bola de cristal y un móvil con ochenta y un pequeños caireles que, por estar colgados frente a la ventana que da al oeste, llenan la habitación de miles de arcos iris cuando se pone el sol, afianzando de esta forma su matrimonio ya de por sí duradero. Tiene carillones de viento en las posiciones de los "hijos" y de la "familia" para resguardar a sus hijos –que se rehusan a utilizar el feng shui– y para intervenir en las pequeñas riñas familiares. En la zona de "personas serviciales" colgó un estante con pequeños adornos donde deja peticiones a los dioses y a Buda, solicitándoles que se cumplan todos sus deseos. En la posición de la "fama" tiene una flor de seda, en el lugar de la "riqueza" colgó dos flautas, y en el área de la "carrera profesional" puso fotografías de sus nietos. En la zona del "conocimiento" –la entrada del dormitorio que está en ángulo– tiene colgados nueve petardos arriba de la puerta, para así asegurarle erudición prolongada a su marido, un profesor jubilado, y a su familia gran sabiduría y conocimiento.

En las prácticas de la secta del Gorro Negro, la puerta es fundamental al efectuar los cálculos del ba-gua.* La puerta, traducida literalmente, es "boca del chi", o *chi kou*. Su posi-

---

* El feng shui de la secta del Gorro Negro utiliza el *I'Ching* según prácticas tradicionales en las cuales se superpone una ba-gua fijo sobre el plano de las casas, los lotes y las habitaciones para levantar su chi. Tradicionalmente, Li es siempre el sur. Por lo tanto, muchos empresarios de Hong Kong, cuando compran sus casas, eligen aquéllas con la puerta en la esquina sudeste, el "lugar de la riqueza". A diferencia del feng shui tradicional, los puntos cardinales no tienen importancia para el feng shui de la Secta del Gorro Negro. Los expertos en feng shui tradicional practican una especie de astrología de la tierra. Para calcular la ubicación de la entrada, la cama o el escritorio cuadran la fecha de nacimiento de su cliente con elementos cósmicos estampados sobre una antigua y complicada brújula geomántica. También utilizan esta "brújula cósmica" para adivinar las líneas del chi o características geográficas, para ubicar una casa, una tumba o una cama, y también para determinar hasta qué punto puede resultar auspicioso o compatible determinado lugar o persona. Por ejemplo, a un publicitario de Nueva York que tenía esperanzas de fusionar su empresa con otra más importante le dijeron que la operación no se concretaría mientras su puerta no mirara al oeste. Cuando coincidió que él y su familia se mudaron a una casa con la estructura recomendada, se concretó la fusión.

ción determina dónde están los ocho guas en la habitación. Con independencia de lo poco que use la puerta, ésa será siempre la entrada principal para calcular las posiciones del ba-gua y las exigencias relativas a la forma de la casa. Si la puerta lateral es la que se usa más a menudo, aunque influya sobre la entrada y la salida, no se la tomará como base para la orientación ba-gua.

Cuando se superpone el ba-gua sobre el plano de una habitación o una casa, la entrada se ubicará en una de tres posiciones posibles, o sea los tres guas del octágono. Esto depende de si la puerta está en el centro o hacia un lado de la pared. Si está en el centro, es *kan,* que representa la carrera profesional; si se abre hacia la derecha del centro es Chyan, personas serviciales, lo cual incluye tanto a subordinados como a jefes; si se abre a la izquierda del centro, la puerta está en la posición *gen* o del conocimiento. Este método se llama el "ba-gua de tres puertas".

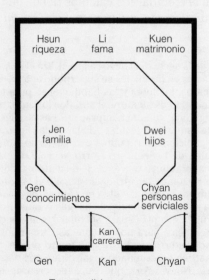

Tres posibles entradas

BA-GUA DE TRES PUERTAS

186

El ba-gua puede ser utilizado para ajustar terrenos, casas y habitaciones mal configurados. Se lo puede superponer al plano de cualquier lote, casa o habitación, con independencia de cuál sea la forma. Por medio del ba-gua, el experto en feng-shui puede descubrir fácilmente las zonas con problemas en la vida de sus habitantes.

Las habitaciones y los departamentos pueden tener un sinfín de formas diferentes. Los chinos alargan o acortan el ba-gua para poder adaptarlo a cualquier espacio. Una casa con forma irregular o una que tenga una esquina de menos pueden indicar una deficiencia en el área correspondiente en la vida del habitante de dicha casa. A la casa número 3, por ejemplo, le falta su parte de hijos; por lo tanto los moradores pueden tener problemas con su descendencia.

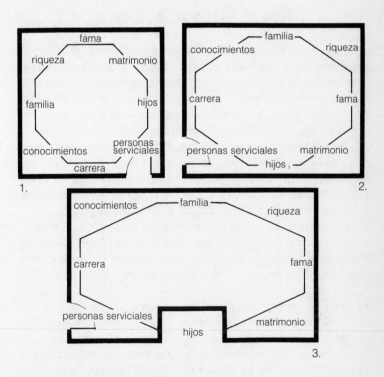

El ba-gua se aplica a habitaciones de cualquier forma y tamaño.

Si bien el ba-gua puede resolver los desequilibrios de la forma o resaltar ciertas áreas de la vida de los moradores, algunas personas han llegado al extremo de construir habitaciones octogonales. De este modo ponen énfasis en los ocho guas, los equilibran, y el octágono en sí mismo es la forma más auspiciosa. Mr. K, un prestigioso restaurante de Washington, se construyó sobre la base de un motivo bagua repetido: las banquetas exteriores y las interiores forman octágonos. Además, siguiendo los consejos de un experto en feng shui, los dueños colocaron el artefacto de cocina y la caja registradora en las áreas de "riqueza" y "personas serviciales". Lola Kao, esposa del dueño, Johnny Kao, explica: "Le preguntamos dónde estaban los mejores lugares chi según el ba-gua".

FORMAS EN L Y FORMAS EN U

Las casas, oficinas o habitaciones en forma de L pueden acarrear un sinnúmero de problemas a sus ocupantes. Transmiten la connotación de algo incompleto o desequilibrado, como si faltase una parte del ba-gua. Según el tamaño del gua "ausente", pueden faltar una, dos o tres áreas en la vida de los moradores. He aquí una serie de ejemplos:

A cada una de estas formas le falta por lo menos un gua. A la casa 1 le falta el conocimiento. A la casa 2 le falta el área del matrimonio. En la 3, tanto el matrimonio como los hijos van a tener problemas. En la casa 4, surgirán inconvenientes relativos al matrimonio, los hijos y la fama o reputación .

Las formas de casas números 5 y 6 presentan complicaciones adicionales. En las casas donde un ala sobresale de la línea de la puerta de entrada, los ocupantes tendrán carencias en ciertas áreas su vida (personas serviciales en la casa 5, y conocimientos, carrera profesional y familia en la número 6). Si la cocina o el dormitorio están ubicados en esa ala, los residentes quizás comprueben que viven comiendo y durmiendo fuera de la casa, lo cual agrega más presión a las relaciones familiares. Además, esta ala bloqueará el chi y las oportunidades. Por lo tanto, el chi de los habitantes se desequilibrará y el éxito en los negocios será limitado.

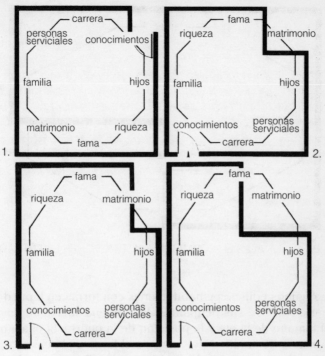

EL BA-GUA Y LAS FORMAS EN L

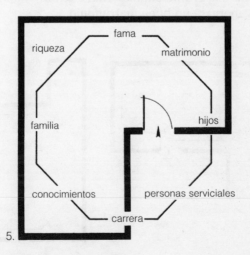

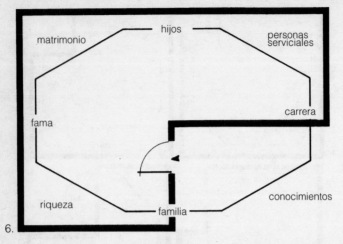

6.

EL BA-GUA Y ALAS EN FORMA DE L AL TRASPONER LA ENTRADA

Algunos edificios y habitaciones con forma en L pueden traerle suerte a sus ocupantes. Esta buena suerte depende del tamaño de la ele y la posición de la puerta. Si el ala mide menos de la mitad del ancho o el largo de la casa, se lo considera un agregado favorable. La casa 7 es especialmente buena para la erudición. La forma 8 tendrá mucha riqueza, y la 9 albergará un buen matrimonio.

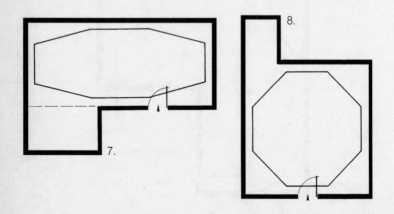

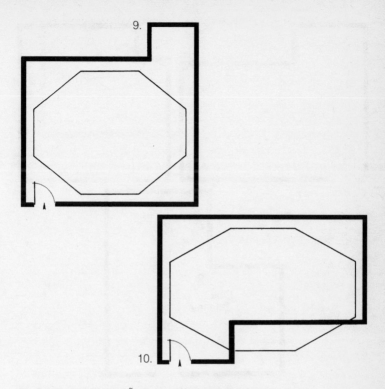

EL BA-GUA Y PEQUEÑAS ALAS EN FORMA DE L

Cuando una entrada a la casa, oficina o habitación se halla en el ala pequeña, la forma tendrá dos guas menos. En la casa 10, por ejemplo, los ocupantes enfrentarán problemas con su carrera profesional, y la gente será menos atenta con ellos.

Por lo general, para equilibrar el ba-gua de una casa en forma de L se usa cualquiera de las Nueve Curas Básicas:

1. Para solucionar esta forma, se puede agregar un espejo en uno o en ambos lados de la esquina faltante, y así se prolongará simbólicamente la forma.

2 - 3. Para compensar el área de riquezas que no existe en estas casas, se puede colgar un carillón de viento a cada lado de la esquina faltante, o bien una bola de cristal en el vértice de la esquina.

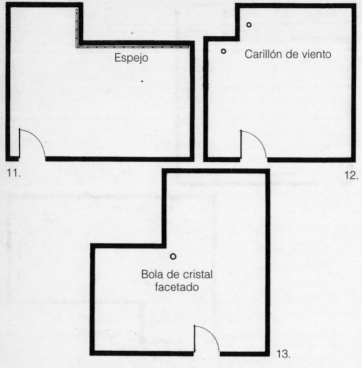

11.

Espejo

12.

Carillón de viento

13.

Bola de cristal
facetado

CURAS PARA LOS CASOS EN QUE FALTA UN GUA

Los ajustes de ba-gua que se hagan en la casa de un hombre de negocios pueden ser tan efectivos como los que se hagan en su oficina. Una contadora de Miami, cuya casa en forma de L carecía de la zona de riquezas, notó una gran mejoría en sus negocios después de que equilibró la forma instalando una pequeña luz direccional en el área de la riqueza, y la orientó hacia el techo.

Tal como sucede con las casas en forma de L, las alas de edificios en forma de U pueden producir efectos negativos o positivos según su tamaño y la ubicación de la puerta. Las alas pueden crear un vacío en el centro, y por lo tanto una pérdida para sus habitantes. Sin embargo, si son suficientemente pequeñas, pueden ser beneficiosas. Los moradores de la casa 1 gozarán de un buen grado de instrucción y ayuda de terceros. Cabe destacar que puede haber problemas en las relaciones familiares si el dormitorio principal o la cocina están ubicados sobre un ala. A las formas 2, 3 y 4, sin embargo, les falta un gua. Los habitantes de la forma 2 tropezarán con escollos en el área de la instrucción, de las relaciones familiares y, hasta cierto punto, de las finanzas. (Si la entrada estuviera en la U, las dos alas se considerarían agregados.) Las personas que viven en las formas 3 y 4 tendrán graves dificultades en su carrera profesional o laboral. CURA. Si es una casa la que tiene forma en U, una las dos alas con una línea de pintura roja o una hilera de arbustos. Si se trata de un departamento, selle ritualmente el interior de todas las puertas que tengan salida al exterior, y también la puerta del dormitorio (véase Anexo 1).

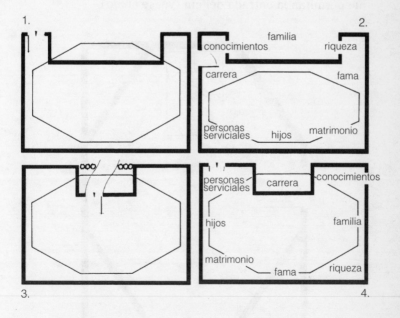

EL BA-GUA Y FORMAS EN U

PAREDES OBLICUAS

Una pared oblicua –como se mencionó en el capítulo 6– es desafortunada en cualquier casa, pues anuncia una catástrofe o un hecho desagradable e inesperado.

Algunas paredes oblicuas (por lo general, la quinta pared de una habitación) repercuten creando un ángulo adicional, y por lo tanto, una forma irregular y desequilibrada. Las paredes oblicuas suelen responder a una necesidad estructural de hacer lugar para una escalera o para el sistema de aire acondicionado, y es preciso compensar la correspondiente esquina que falta en el ba-gua. En la primera ilustración, una quinta pared oblicua recorta parte del área de los conocimientos.

CURAS. Agregar tres paredes oblicuas complementarias a la habitación para crear un octágono auspicioso, o bien colgar en la pared oblicua un gran espejo o una flauta de bambú que permitan la entrada del chi (véase abajo).

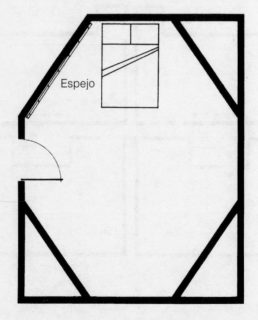

Espejo

EL BA-GUA Y UNA QUINTA PARED OBLICUA

Las estructuras con toda una pared oblicua son incompletas y representan problemas. La pared oblicua afecta a dos guas. Por ejemplo, la casa 1 no es apropiada para los hijos ni para las oportunidades de ayuda externa. La habitación 2 puede dañar la reputación y crear discordia en el matrimonio. En la habitación 3, sufrirán la fama y las finanzas.

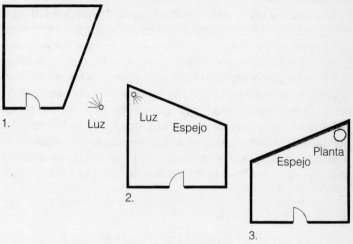

EL BA-GUA Y TODA UNA PARED OBLICUA

CURAS

1. Los problemas de una casa con una pared oblicua se pueden solucionar instalando, en el jardín, una luz que cuadre la forma exterior.

2 - 3. En un departamento, se puede colgar un espejo en la pared oblicua (véase fotografía 13) –cuanto más grande el espejo mejor–, o de lo contrario, colocar una luz o una planta en la esquina con ángulo agudo para estimular la circulación del chi.

Las esquinas, los armarios, las columnas y los baños también pueden desequilibrar una habitación puesto que le recortan una parte, y de ese modo afectan una parte del bagua. En una casa de San Francisco donde el baño tenía una esquina en la posición del matrimonio, la esposa colgó cuadros de peces rojos y dorados para acomodar el gua, así su matrimonio se deslizaba "como si nadase".

La posición del baño en una casa puede afectar la correspondiente zona de la vida o del cuerpo de una persona. Por ejemplo, si el baño está en la posición de la riqueza de la casa, el dinero se irá por los caños.

CURA. Colgar espejos en un lado de la esquina para disimular el borde protuberante y solucionar el gua, colgar una bola de cristal o un carillón en cualquiera de los dos lados, o bien plantar una enredadera que trepe por la saliente. Otra cura consiste en mezclar ju-sha con noventa y nueve gotas de un vino recién descorchado. Luego verter la mezcla en el inodoro (véase Anexo 1). Otros ejemplos: si la cocina está en la zona de la riqueza, la comida (que simboliza los ingresos) será abundante; el escritorio en la zona de la sabiduría es ideal para los conocimientos; la cama en la ubicación del dormitorio correspondiente al matrimonio traerá armonía al hogar. En la habitación de los niños, colocar las camas en el área de los "hijos" para conseguir que éstos se porten bien.

LOS NEGOCIOS Y EL BA-GUA

Los chinos creen que se pueden estimular y fomentar los negocios ajustando el ba-gua interior de la oficina, cuyas áreas a desarrollar son la de carrera profesional o laboral, riqueza, fama y personas serviciales, en ese orden. En una empresa, el ba-gua de la oficina de su presidente es más importante que el de la empresa en su totalidad.

En un comercio o un restaurante, la ubicación óptima de la caja registradora es en diagonal a la puerta de entrada, para que la cajera pueda ver a los clientes ir y venir, asegurándose así ganancias fluidas. La ubicación ideal para la caja registradora es en la posición de la riqueza, con un espejo detrás para atraer hacia sí el chi, las oportunidades y el dinero. Si no se puede colocarla en la posición de la riqueza, conviene utilizar una de las Nueve Curas Básicas, es decir, un espejo, una luz o una máquina –como por ejemplo un tragamonedas o un televisor– en la posición de la riqueza para compensar la ausencia de la caja registradora.

Las posiciones de la carrera profesional y de las personas serviciales también son áreas buenas para ganar dinero. La posición que se elige para colocar la caja registradora determinará la naturaleza de las ganancias. Los ingresos de una caja en la posición de la riqueza de un restaurante, por ejemplo, vendrán de la comida. Si, por el contrario, la caja está ubicada en la posición de personas serviciales, las ganancias provendrán de la popularidad, la clientela numerosa y alguna ayuda inesperada. La caja en la posición de los conocimientos traerá ganancias producto del trabajo esforzado y de la habilidad comercial, como podrían serlo las promociones especiales.

Por ejemplo, en Auntie Yuan, exitoso restaurante de Nueva York (véase fotografía 16-C), la caja registradora está ubicada en la posición de "personas serviciales", fuera de la vista de la entrada y por ende más protegida de los ladrones. Una flauta de bambú colocada estratégicamente crea una forma ba-gua auspiciosa sobre la caja registradora y protege al restaurante. Unos espejos detrás del mostrador dan la ilusión de que hubiera el doble de botellas, y simbólicamente duplican la cantidad de bebidas alcohólicas que se expenden.

Para determinar las posiciones ba-gua en un comercio o un restaurante, se debe usar solamente la zona principal donde funciona el local, descontando los sectores no habilitados y los depósitos.

Deben evitarse las paredes oblicuas que arrastrarán hacia abajo, u oscurecerán, las ganancias. En un restaurante, la caja registradora estaba debajo de una pared oblicua estructural. Los dueños levantaron entonces una pared oblicua complementaria para crear una forma parcial de ba-gua.

Los habitantes de una casa de Long Island (Nueva York) colgaron flautas en ángulo imitando el octágono auspicioso del ba-gua y aumentando también las zonas de riqueza y matrimonio de la sala de estar, que estaba acomodada de forma propicia. Instalaron espejos del piso al techo, con lo cual duplicaron el espacio y disimularon la entrada a un templo familiar. (Véase fotografía 4.)

La ubicación de una habitación dentro de un edificio

puede afectar los negocios. Un experto en feng shui, mientras paseaba por la cocina de Le Cirque, un restaurante de Nueva York, comentó que las ganancias serían "dulces" porque la sección pastelería estaba en el área de la riqueza. Los baños de otro restaurante estaban en el área de la riqueza, y el experto aseguró que allí las ganancias se "irían por los caños". En un tercer restaurante, los baños, ubicados en el área de la fama, auguraban una reputación teñida de rencor y de críticas.

ESQUINAS Y ÁNGULOS

Los ángulos agudos pueden poner en peligro al negocio, sus clientes y empleados. Cuando se estaba llegando al fin de una restauración en el Flower Lounge, un restaurante de Milbrae (California), un experto en feng shui sugirió a los dueños que redondeara todos los bordes angulosos de las recientemente instaladas columnas cuadradas, los mostradores y las esquinas. Luego instalaron una pileta de cocina en la zona de la riqueza. "Prefiero hacerlo ahora que sufrir después las consecuencias", comentó Alicia Wong, la joven copropietaria. "Teniendo el ambiente adecuado, buena comida, buenos precios y buen servicio, y con el consejo de feng shui, nos irá bien." Y eso es lo que ocurrió, pues desde que abrieron sus puertas a fines de 1984, el restaurante ha prosperado.

ENTRADAS

La puerta de entrada y la puerta de atrás de un negocio deben ser anchas y livianas. Por regla general deben estar en la posición de la carrera profesional o de las personas serviciales; de lo contrario, deben resaltarse estas posiciones con una de las Nueve Curas Básicas. A fines de 1983, una empresa de computación de Silicon Valley tenía de un progreso muy lento; siguiendo los consejos de un experto en feng shui sus directivos hicieron instalar una pecera bajo la escalera, cerca de la entrada del edificio que alquilaban, para permitir la circulación del chi que se encontraba atrapado. También colocaron dos lámparas del lado de adentro de la puerta –en la posición de personas serviciales– para incrementar las oportunidades de progreso. Al cabo de cuatro semanas, los negocios mejoraron tanto que les fue posible comprar el edificio.

Los peces vivos, por el hecho de vivir en el agua –que intensifica la riqueza–, también constituyen recursos para incrementar las ganancias en oficinas, tiendas y restaurantes. Para obtener mejores resultados, lo mejor es colocar en la pecera nueve peces, ocho rojos y uno negro, o bien ocho negros y uno rojo.

LOS COLORES Y EL BA-GUA

Se pueden utilizar colores para mejorar el chi de una casa u oficina. Una persona puede realzar ciertos aspectos de su vida agregando un color complementario en la correspondiente área del ba-gua. Los cinco elementos se usan para precisar qué color puede beneficiar determinada área. Superponiendo los cinco elementos y sus correspondientes colores en el ba-gua, se puede saber qué colores pueden utilizarse en una habitación para realzar varias áreas (véase el cuadro del Ciclo Creativo de los Colores de los Cinco Elementos). Cuando se los alinea con el ba-gua, la familia es madera o verde, la riqueza es parte verde y parte roja, la fama es fuego o rojo, el matrimonio es parte rojo y parte blanco, los hijos son metal o blanco, las personas serviciales son parte blanca y parte negra, la carrera profesional es agua o negra, y el conocimiento es parte negro y parte verde. El centro es la tierra o amarillo. Por lo tanto, una persona o un negocio que quieren recibir más reconocimiento pueden –aparte de contratar un publicista– colocar algo rojo en la posición de la fama. O si una familia está enemistada, se puede colocar una planta verde en la posición de la familia.

Los chinos aumentan sus opciones cromáticas aplicando también de otro modo el Ciclo Creativo de los Colores de los Cinco Elementos. El rojo y el verde estimulan la riqueza; el verde, el rojo y el amarillo promueven la fama; el rojo y el blanco realzan el matrimonio; el amarillo, el blanco y el negro ayudan a los hijos; el negro y el blanco atraen a personas serviciales; el blanco, el negro y el verde contribuyen a la carrera profesional; el negro y el verde profundizan el conocimiento; el negro, el verde y el rojo ayudan a la familia. Así, la familia que está en lucha abierta dentro de su seno también puede instalar algo negro o rojo en el área de la familia, y la persona en busca de publicidad puede colocar algo verde y amarillo en el área de la fama.

Cuando se ajusta el chi con colores, hay que reforzar el acto con el ritual de los Tres Secretos (véase Anexo 1).

CICLO CREATIVO DE LOS COLORES DE LOS CINCO ELEMENTOS

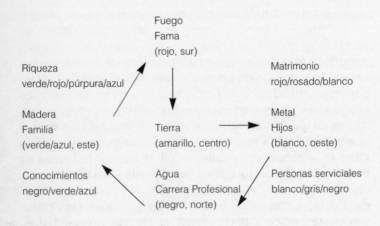

Este cuadro muestra cuáles son los colores que realzan un gua determinado. Por ejemplo, si se quieren mejorar las oportunidades profesionales, se puede colocar algo negro (el color de la carrera/agua), blanco (el color del metal que crea el agua/carrera profesional) y verde (el color de la madera, que se alimenta con el agua) en la zona de la carrera profesional.

EL FENG SHUI Y LAS ETAPAS DE LA VIDA

El feng shui, particularmente el del dormitorio, se puede adaptar de acuerdo a las etapas de la vida. Como el chi humano se ve afectado por el estado en que se encuentra la casa, se pueden realizar ciertas modificaciones –curas chushr– al dormitorio para equilibrar y moderar el chi, ya sea el de un niño o el de un anciano.

Los niños deben dormir en la posición *dwei* –hijos– de su dormitorio. El cuarto de los niños debe ser amplio y luminoso, y tener un espacio despejado para desarrollar allí mucha actividad. El chi de un niño pequeño es inestable; por lo tanto éste precisa lugar para moverse. Los muebles grandes son obstáculos malignos en un dormitorio, y pueden resultar especialmente dañinos para un pequeño. Oprimen y desequilibran el chi del niño. Un mueble pesado colocado cerca de la puerta o junto a la cama del niño puede ser causa de constantes fracturas de huesos o torceduras de tobillo.

CURA. Para realzar el chi del niño, colocar algo blanco –una sábana blanca, flores, un animalito de peluche, etcétera– en la posición *dwei*. Si la cama no puede ubicarse en el área *dwei*, puede ponerse allí una luz.

Hasta que cumpla la edad de trece o catorce años, el chi del niño no sólo es inestable y poco desarrollado, sino también un poco distraído y descarriado.

CURA. Colgar un objeto que se mueva –un móvil, un carillón de viento, un molinete– o una luz al nivel de los ojos del niño para levantar y estimular el chi en la mente. Al canalizar el chi hacia arriba el niño se vuelve más alerta y más motivado. Los objetos de colores alegres y peceras también estimulan el chi de los niños. Así y todo deberían dormir en la posición *dwei*.

Los jóvenes de quince a veintidós años necesitan más paz y estabilidad; por lo tanto los objetos deben ser más fijos. El hecho de tener libros en el dormitorio o un escritorio con biblioteca cerca de la entrada puede ayudarlos en su dedicación al estudio.

CURA. La cama o el escritorio deberían estar en la posición del conocimiento; también se puede colocar allí algo negro, azul o verde, o bien cualquiera de las Nueve Curas Básicas.

Mientras el niño vaya a la escuela se debe acentuar la posición del conocimiento. Cuando haya concluido sus estudios, hay que realzar la posición de la carrera profesional o de las personas serviciales.

Para aquellas parejas que se hayan casado o planean hacerlo, se debe colocar la cama o algo rojo o blanco en la posición del matrimonio.

Las personas mayores deben dormir en la posición correspondiente a la familia. Si no pudieran dormir allí, es preciso colocar algo verde, o bien una de las Nueve Curas Básicas, en la posición del dinero o la fama.

LAS TRES ARMONÍAS

Otra forma de equilibrar el ba-gua o de fortalecer las posiciones del ba-gua es con las Tres Armonías. Las Tres Armonías utilizan cuatro triángulos místicos sobre un gráfico superpuesto al ba-gua, doce tallos astrológicos y cinco elementos.

Se pueden utilizar las Tres Armonías en cualquier habitación. Resultan particularmente útiles cuando se tiene que resolver o realzar una casa, una habitación o un terreno con agregados.

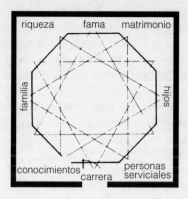

LAS TRES ARMONÍAS

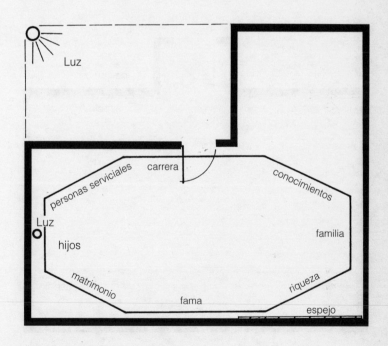

USO DE LAS TRES ARMONÍAS

Una casa como la ilustrada, con una zona de entrada desequilibrada en la posición del conocimiento, puede representar estudios muy largos, pero plazos cortos en cuanto a la carrera profesional o laboral y personas serviciales. Esta situación puede resolverse de varias maneras.
CURA.

1. Agregar un espejo que refleje la sección adicional, creando un agregado complementario simbólico y resaltando, así, la zona de la riqueza.

2. Equilibrar la forma con un farol, una luz direccional o bien con plantas.

3. Utilizar las Tres Armonías. Crear un triángulo ajustando el área de la riqueza y reforzando la posición de los hijos.

Los habitantes de la casa de la próxima ilustración gozarán de carreras profesionales exitosas, pero estarán en desventaja en conocimientos, y sus subordinados no serán muy atentos.

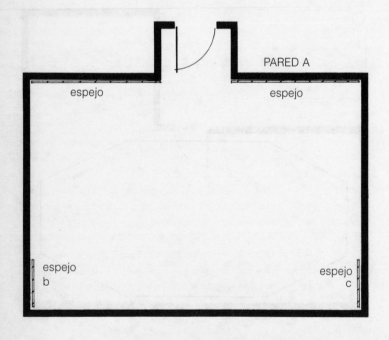

USO DE LAS TRES ARMONÍAS

CURAS.

1. Agregar espejos a la pared A.
2. Construir alas complementarias.
3. Utilizar las Tres Armonías y colocar espejos a las áreas b y c para crear agregados imaginarios, y así estimular las zonas de riqueza y del matrimonio.

Para equilibrar o reforzar el chi de un gua, se pueden ajustar los dos ángulos complementarios del triángulo místico. Por ejemplo, para ayudar a los hijos se puede usar una de las Nueve Curas Básicas con el fin de influir sobre el equilibrio o realzar las zonas del matrimonio y de las personas serviciales. Para mejorar la vida familiar, se puede agregar un espejo a la posición de la familia o a los dos ángulos complementarios, riqueza y conocimientos.

RELACIONES CASA-CUERPO

Los expertos en Feng Shui muchas veces actúan como médicos. Para ellos, el hogar y sus distintas partes tienen una relación directa con el cuerpo humano. Cuando se solucionan los desequilibrios en una casa, la salud de sus habitantes mejora. Lo que ocurre en la casa puede, a la larga, verse reflejado en la vida y el organismo de sus habitantes, y viceversa. La salud de los ocupantes de una casa depende de si el chi fluye sin inconvenientes, y del equilibrio entre el yin y el yang.

Una puerta se llama *chi kou* en chino, que quiere decir "boca del chi". En general, las puertas y las ventanas son los orificios del cuerpo. Por ejemplo, si una puerta está bloqueada, puede ser que los moradores se hallen constipados. Si el vidrio de una ventana está roto, los habitantes de esa casa pueden tener problemas en los ojos, los oídos o la nariz. La plomería, las instalaciones de gas y los sistemas eléctricos pueden correlacionarse con la circulación, la respiración y la digestión de sus habitantes. Las pérdidas de gas, las cañerías tapadas y los fusibles quemados pueden alterar el chi de la casa y afectar el bienestar de sus ocupantes, que en consecuencia sufrirán. Por lo tanto, el mantenimiento de una casa es esencial.

Así como ocurre con la tierra, cualquier alteración imprudente en una casa o un negocio puede repercutir sobre sus moradores. Es algo similar a someterse a una operación imprevista y chapucera, cuyo desenlace sólo puede ser negativo. Por eso es preciso tener mucho cuidado cuando se hacen cambios, desde la instalación de un aire acondicionado hasta reformas en un baño.

Las modificaciones deben efectuarse en el momento y el lugar adecuados, y sólo después de haber realizado el ritual de los Tres Secretos (véase Anexo 1). Existen innumerables anécdotas que relacionan quebraduras de brazos y piernas con la poda de un árbol, el corte del pasto, el cavado de una zanja o la apertura de un tragaluz ubicados en la posición del brazo o de la pierna de la casa o el terreno.

Los cambios también pueden realizar una vivienda, como es el caso de un tragaluz espejado e iluminado de una casa de Nueva York, que tiene la forma de una olla de Mongolia y que levanta la circulación del chi. Ubicado en la "cabeza" de la casa e instalado acompañándoselo con una bendición, el tragaluz aumenta la perceptividad de los moradores. Un espejo en el vestíbulo atrae las visitas hacia el interior de la casa, y una planta disimula un pilar llamativo (véase fotografía 6). Hay numerosas formas de aplicar el cuerpo humano a la casa:

1. Superponer el cuerpo a la casa, haciendo coincidir la zona de la puerta de entrada con la cabeza.

2. Usar la imaginación y la intuición cuando se analiza una casa de forma irregular.

3 - 4. La manera más sencilla es poner el ba-gua sobre la casa. Utilizando el ba-gua, los expertos en feng shui emiten diagnósticos y predicciones sobre la salud o la duración de la vida de sus habitantes. Si una persona tiene dolor de cabeza debe controlar la posición correspondiente a la puerta y a las personas serviciales. Desde luego, en casos serios de enfermedad lo mejor es la atención de un médico, pero a veces el feng shui ayuda.

Abundan relatos sobre el efecto del feng shui en el cuerpo humano. Por ejemplo, en Cincinnati (Ohio), el hijo de un

profesor tenía un tumor cerebral de pronóstico nada alenta-
dor. Como último recurso, se consultó a un experto en feng
shui, quien rastreó el problema y se lo atribuyó a una nueva escalera de caracol que iba desde el vestíbulo hasta el
sótano de la casa, y que había sido instalada poco tiempo
atrás cerca de la puerta de entrada. Después de colocar una
enredadera en el hueco de la escalera y de solucionar la posición de las personas serviciales, el niño se recuperó y hoy
en día es un adulto sano.

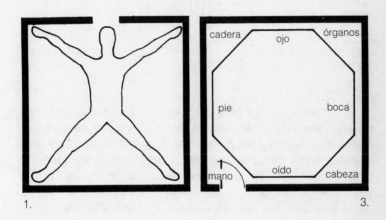

1.

3.

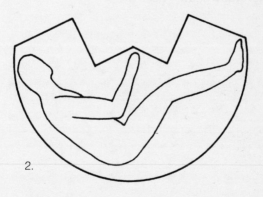

2.

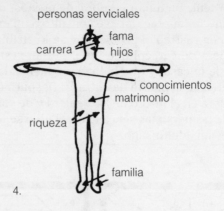

personas serviciales
carrera
fama
hijos
conocimientos
matrimonio
riqueza
familia

4.

EL BA-GUA Y EL CUERPO HUMANO

Se pueden aplicar curas chu-shr a varias zonas de la casa para solucionar problemas de salud en las respectivas zonas del cuerpo. Una mujer que iba a ser sometida a una operación por desprendimiento de retina colgó un espejo al nivel de sus ojos en una de las ventanas de su habitación para conseguir que la operación fuera exitosa. El resultado de la intervención fue tan notable, que actualmente su visión es mejor que hace veinte años. Por lo general, pueden usarse las Nueve Curas Básicas.

ANEXOS

ANEXOS

Si bien el feng shui ayuda a elegir los mejores lugares donde vivir, también se ocupa de cómo debemos ubicarnos los
seres humanos para prosperar, para gozar y descollar en
nuestro vasto universo; en suma, cómo podemos mejorar y
equilibrar nuestro chi. Comienza con la manipulación física

de nuestro entorno exterior (sying) para crear armonía. Avanzando un paso más, aprendemos a reflejar en nuestro interior el equilibrio, la belleza y la fuerza del mundo natural que nos rodea. Estos anexos se centran en los aspectos que están más allá del feng shui físico, que pueden mejorar lo que nos rodea, y mejorar también nuestro chi. Se trata de yi, o curas místicas para nuestro entorno; el cultivo del chi humano y las meditaciones, y por último, de la adivinación, una muestra de prácticas místicas afines, que ayudan a lograr un mayor equilibrio y comprensión de nuestra vida (la astrología, la quiromancia, el análisis de sueños, el I Ching de la Secta del Gorro Negro y de las curas selectas).

Anexo 1

EL YI

El *yi* es una parte integral pero intangible del feng shui. Se trata del reino de la mente y los sentidos que va más allá de la forma en que reaccionamos ante nuestro entorno inmediato. Si bien las curas del sying ing se usan para manipular literalmente el entorno con el fin de mejorar el chi y la suer-

211

te de los moradores, las curas del yi brindan una transformación espiritual de la energía negativa en positiva, dentro de un hogar, de una oficina o dentro de una persona. Según la Secta del Gorro negro, el yi es la invitación que uno hace a las fuerzas naturales para que entren en determinada casa u oficina. Es la intención del experto en feng shui –una suerte de bendición–, pero también es un permiso que subconscientemente el morador recibe del experto en feng shui para tener éxito, para superar problemas, neurosis y complicaciones, y poder vivir una vida sana y feliz.

El yi es una forma de sanación basada en la fe, el poder que tiene la mente de creer.

El yi funciona de diversas maneras, entre ellas las siguientes:

- Tres secretos
- Ba-gua (véase capítulo 8)
- Rastrear las nueve estrellas
- La rueda de ocho puertas
- Yu-nei (ajustar el chi interior de la casa)
- Yu wai (ajustar el chi exterior de la casa)
- La rueda dharma en constante giro
- Historia de la casa
- Otros (véanse Anexos 2 y 3)

El yi es una manera sutil de agregar equilibrio y energía a una manipulación psíquica de la atmósfera o espíritu de un lugar. Ofrece muchas otras formas de cambiar la energía de un sitio. Por ejemplo, se lo puede usar para reforzar las curas del sying; el yi ofrece diversos métodos para pensar en positivo cuando se hace una modificación. Si a un lugar no se lo puede modificar físicamente, puede invocarse el yi para resolver problemas de diseño de una manera metafísica –usando el ba-gua para equilibrar una forma despareja– o bien externamente, quizá para corregir el chi de una casa y contrarrestar así los efectos malignos de una nueva construcción que se interpone y nos arruina una vista.

También puede el yi mejorar la circulación del chi en muchos lugares, desde los sitios mejores y más agradables hasta los más oscuros y deprimentes, tornándolos mucho más habitables. Por ejemplo, un experto podría utilizar el yu nei (adaptando el chi interior de una casa) para dar vida a un departamento húmedo y oscuro ubicado en un subsuelo. También, si en una casa ha habido últimamente un robo o una muerte, utilizando el yi ("sellar la puerta", la rueda de ocho puertas o rastreando las nueve estrellas) se puede exorcizar una angustia enfermiza.

El yi es probablemente el aspecto más potente del feng shui de Lin Yun. Hacen falta muchos años de práctica y meditación para dominarlo, pues no basta con leer textos relativos a las curas mágicas y trascendentales del chu-shr. La información mística puede transmitirse oralmente una vez que el experto en feng shui ya ha entregado el sobre rojo con dinero. De ahí que gran parte del yi transmitido aquí carezca del ingrediente activador de la transmisión oral.

EL REFUERZO DE LOS TRES SECRETOS

Se trata de un modo ritual de agregar fuerza a una cura. Los tres secretos incluyen una bendición que combina tres elementos místicos: cuerpo, habla y mente.

1. *Cuerpo*: Son gestos rituales –usando principalmente una o ambas manos en poses que suelen verse en las ilustraciones de Buda– para expresar intenciones o sentimientos. En la vida diaria, una madre puede levantar una mano para regañar o advertir algo a su hijo. Solemos estrecharnos la mano para expresar amistad. Estos son ejemplos comunes de lenguaje corporal. Un mudra es una callada invocación que hace el cuerpo. El mudra de la bendición se usa para ofrendas y bendiciones, para expresar el más alto homenaje. El mudra del corazón apacigua la mente y el corazón. El hombre tradicionalmente usa su mano izquierda, y la mujer la derecha; para obtener un mayor resultado, usar la inversa. El mudra del exorcismo se emplea para dispersar los espíritus malignos y ampliar el chi.

2. *Habla:* Se trata de cánticos conducidos inicialmente para recitar mantras que poseen una influencia benéfica. Por ejemplo:

Las seis palabras verdaderas: Om ma ni pad me hum.

El sutra del corazón: Gatay, Gatay, Boro gatay, Boro sun gatay Bodhi So po he.

3. *Mente:* Más importantes que nuestro cuerpo y habla son nuestras intenciones conscientes, que se expresan en los pensamientos. Pueden ir desde un deseo o plegaria hasta una intensa visualización con el fin de ayudarse uno mismo o ayudar a otros. Por ejemplo, si un hombre está enfermo, puede visualizar, en un escenario de película, su recuperación de la enfermedad y su cura final.

BA-GUA

En el capitulo 8 se explican los numerosos usos simbólicos del octágono propicio del *I Ching*.

RASTREAR LAS NUEVE ESTRELLAS

Éste es uno de los numerosos métodos místicos para adaptar y activar el chi, y librar de la mala suerte al hogar. Se halla incluido en el ba-gua, y sigue los ocho trigramas en una secuencia en particular. Su propósito es purificar la casa de la mala suerte, y transformarla en energía positiva. La siguiente es una guía de lo que sería conveniente que realizara un experto en feng shui de mucha experiencia.

Primero debe realizarse el sutra del corazón, una meditación tranquilizante.

Después de entrar, ubicar el *jen,* es decir, la posición de la familia. Oriente su chi y el de la casa partiendo del *jen* al *hsun* (riqueza), de allí al centro, al *chyan* (personas serviciales), a los *dwei* (hijos), al *gen* (conocimiento), a *li* (fama), a *kan* (carrera) y *kuen* (matrimonio).

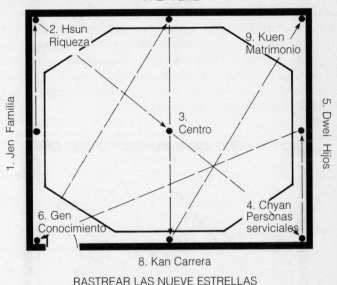

RASTREAR LAS NUEVE ESTRELLAS

Rastree las nueve estrellas por toda la casa, penetrando las paredes hasta el jardín. En vez de enviar su chi, puede recorrer usted mismo el sendero.

Esto se puede hacer de tres maneras:

- Recorrer la casa tocando las nueve estrellas en secuencia.
- Hablar sobre los nueve puntos, formulándole preguntas al propietario sobre cada lugar, atrayendo el chi y la atención de la persona a través de los nueve puntos, empezando en *jen*.
- Pensar en el ba-gua y proyectar el propio chi de un punto a otro, enviando bendiciones a todos los rincones de la casa y el jardín.

LA RUEDA DE OCHO PUERTAS

Otra manera de corregir el chi consiste en emplear la rueda de ocho puertas. Se trata de una suerte de brújula

con ocho situaciones de vida que giran constantemente
conservando determinado orden: vida, perjuicio, imaginación, escenario, muerte, conmoción, posibilidad, descanso.
De estas situaciones, naturalmente "vida" y "muerte" son,
respectivamente, la más y la menos auspiciosas. "Descanso" e "imaginación" son de transición; descanso significa
que el mal saldrá del bien, e imaginación es el momento de
cambio de malo a bueno.

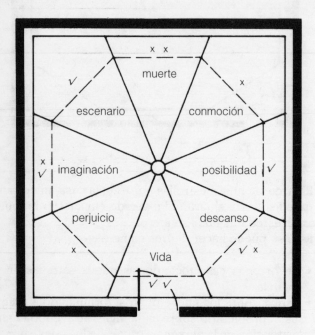

LA RUEDA DE OCHO PUERTAS

Imaginemos dos octágonos, uno estacionario y el otro
(la rueda de ocho puertas), giratorio. Cuando entramos en
una casa, la rueda de ocho puertas está girando en el piso.
Cuando damos el primer paso para ingresar en una casa o
departamento, hay que tratar de encontrar la puerta de la
"vida" y confiar en que se halle en la entrada. Al mismo
tiempo, calibrar nuestra impresión inicial, formada de intui-

ción y de azar, para saber en qué situación concretamente hemos ingresado. Si pisamos una de las otras siete puertas, debemos identificar dónde está "vida"; luego visualizar la rueda giratoria, de modo que "vida" avance hasta la entrada. (Los principiantes pueden encaminarse hasta "vida" y luego llevarla hasta la puerta de adelante.) Después, visualizarse uno recogiendo las otras siete situaciones y arrastrándolas hasta "vida", y caminar hasta cada posición para depositar allí la esencia de "vida", siguiendo el sendero de las nueve estrellas. Otro modo de hacerlo sería sacando los trigramas del ba-gua estacionario atravesando "vida" en la secuencia de las nueve estrellas, empezando en jen. Esto puede aplicarse a una casa, una habitación o un jardín (igual que con el ba-gua).

EL YU NEI (BENDICIÓN INTERIOR)

El Yu-nei es otra forma de modificar el chi y resolver una forma desequilibrada. Dividir la habitación o edificio en rectángulos. Conectar cada esquina con los puntos centrales de las líneas opuestas. Conectar las esquinas opuestas. Se producirá entonces un entrecruzamiento de líneas, que formarán un espacio interior al intersectarse estas líneas unas con otras, incluso un espacio fuera de la casa. Dentro del espacio interior, ubique una planta o un din don.

EL YU WAI (BENDICIÓN EXTERIOR)

Se trata de un proceso ritual para fomentar un nuevo crecimiento. Tome arroz en la palma de la mano y bendígalo con los Tres Secretos. Desparrámelos luego sobre el perímetro interior de la casa, y después sobre el esqueleto exterior, o bien sobre todo el edificio de departamentos. El arroz simboliza las semillas de un nuevo crecimiento de felicidad, suerte y prosperidad. Esto es también una especie de exorcismo para alejar el chi y los espíritus malignos, con lo cual se aplaca a los espíritus hambrientos, que entonces partirán llenos de gratitud.

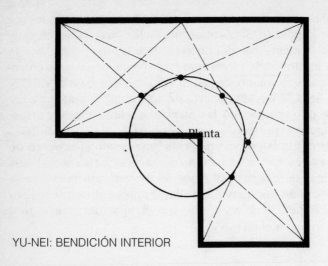

Planta

YU-NEI: BENDICIÓN INTERIOR

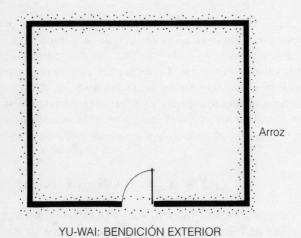

Arroz

YU-WAI: BENDICIÓN EXTERIOR

LA RUEDA DHARMA EN CONSTANTE GIRO

La rueda dharma es una bendición que adquiere la forma de malabares meditativos.

Entre en la casa, mire brevemente a su alrededor; luego salga y realice el Sutra del Corazón.

Vuelva a entrar trayendo consigo bendiciones –buenos deseos para los moradores– y la facultad de Buda de agregar fuerza a la bendición de la casa.

Visualice una rueda que gira ante sus ojos. Ésa es la rueda dharma, que incluye visión, sonido y pensamiento interior. Consta de seis Palabras Verdaderas englobadas en seis bolas de distintos colores, todas las cuales giran en el sentido inverso a las agujas del reloj. Cada bola es un universo en sí mismo rodeado de seis colores, y cada uno de esos colores está a su vez rodeado por otros seis, hasta el infinito.

Lleve la rueda a cada sector de la casa para purificar el chi con su propia potencia y la de Buda.

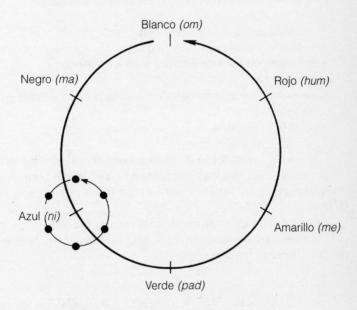

RUEDA DHARMA EN CONSTANTE GIRO

HISTORIA DE LA CASA

Los chinos consideran que mudarse a una casa es como calzarse los zapatos del propietario anterior y tener un destino similar al suyo. Creen que uno adopta los hábitos del otro dueño y repite su buena o mala suerte en el término de dos o tres años. Por este motivo conviene siempre averiguar cuál era la situación del propietario anterior. Lo ideal es una casa u oficina cuyo dueño anterior haya sido próspero y feliz y que, gracias a la buena fortuna, haya podido mudarse a un sitio aún mejor. A muchas empresas inmobiliarias occidentales les llama la atención la curiosidad que demuestran los chinos por enterarse de la vida del vendedor y la historia de la casa.

Es preciso tener en cuenta si el anterior ocupante:

- murió o padeció alguna lesión
- se mudó a una casa más pequeña
- ascendió en la escala social y en su trabajo
- se divorció
- sufrió un quebranto económico, fue bajado de categoría o
- perdió su empleo.

Cuando un arquitecto de Nueva York se mudó a las oficinas de un socio que había fracasado en su labor, consultó a un experto en feng shui para evitar correr él la misma suerte.

En el caso de que una casa cueste una suma irrisoria, los chinos sugieren averiguar su historia, pues algo horrible podría justificar el bajo precio.

CERRAR HERMÉTICAMENTE LA PUERTA

Si uno ya compró un lugar con mala suerte, el feng shui de la Secta del Gorro Negro tiene una cura mística llamada "cerrar herméticamente la puerta", que consiste en: poner en un tazón una cucharadita de té de syongh huang (rejalgar) y agregarle gotas de una bebida alcohólica fuerte (en una cantidad igual a la de nuestra edad más uno), y mezclar con el dedo medio. Rociar gotas sobre la cara interior de la puerta del dormitorio, la entrada de la casa, las puertas del costado y del fondo –incluso la del garaje– y luego reforzar con los Tres Secretos. Arrojar en gotas la mezcla restante sobre el centro de cada habitación y reforzar con los Tres Secretos. Esta cura sirve también para evitar los robos.

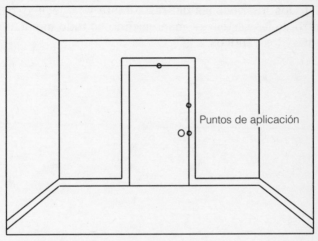

Puntos de aplicación

"CERRAR HERMÉTICAMENTE LA PUERTA"

Con independencia de que la casa tenga buena o mala suerte, se recomienda que el nuevo ocupante realice algún tipo de ceremonia mística para dejar sentada su titularidad:

Ponga en un tazón nueve cáscaras de naranjas, limones o limas. Llene el recipiente con agua y rocíe con ella a diestra y siniestro (si tiene el piso alfombrado use un atomizador), con lo cual se eliminará el chi pernicioso y la mala suerte. Al mudarse allí, compre cama y sábanas nuevas.

En el caso de un local comercial, también es importante la consagración. El Banco de Hong Kong y Shanghai tiene por costumbre organizar bailes del león cada vez que inaugura una sucursal, cosa que hizo hasta en el World Trade Center, de Nueva York.

Pig Heaven, un restaurante chino de Nueva York, adquirió inmediata notoriedad luego de realizar una ceremonia de consagración. Portando un jarrón que llevaba atada una cinta roja a su alrededor, y una flauta atada con una cinta del mismo color, los propietarios fueron recorriéndolo detrás de un experto en feng shui. Lo que hizo el experto fue mezclar nueve gotas de ron Bacardi con ju-sha y, mientras entonaba unos cánticos, salpicó el jarrón y la flauta. Acto seguido tomó un tazón de arroz crudo y arrojó sus granos por todos los rincones del restaurante y la cocina –hasta dentro de las sartenes–, manteniendo en todo momento el mudra y los cánticos.

Anexo 2

CULTIVAR EL CHI

La presente sección trata sobre el chi personal: cómo fluye dentro de nuestro cuerpo y determina nuestra personalidad, nuestro destino, nuestras acciones y nuestra acción recíproca con otros, como también lo que podemos hacer para equilibrar y cultivar el chi. (Véase capítulo 2.)

CHI HUMANO

1. El chi ideal circula fluida y equilibradamente por todo nuestro cuerpo. Llega hasta la coronilla, con lo cual nos crea una aureola parecida a la de Jesucristo o el rodete de Buda.

2. En este caso, el chi está asfixiado a la altura de la garganta. Las personas de este tipo suelen ser taciturnas y reservadas. Tienen problema para expresarse. Aunque tengan mucho por decir y deseen hablar, se inhiben. Por lo general llegan temprano a una fiesta, no abren la boca y se van, sin muchas ganas, cuando ya todos se han retirado.

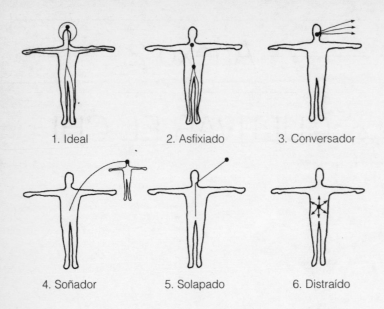

1. Ideal   2. Asfixiado   3. Conversador

4. Soñador   5. Solapado   6. Distraído

CHI HUMANO

3. Estas personas hablan compulsivamente. El chi les activa los labios y la lengua, pero no llega hasta su cerebro. A eso se debe que su boca sea hiperactiva. Despiden chi como ametralladoras, hablan sin pensar. Quizá tengan buenas intenciones, pero dicen demasiado, sin preocuparse por los sentimientos de los demás. Su chi los hace no sólo incapaces de dominar esa necesidad de hablar, sino que también vuelve sus movimientos excesivamente gregarios y vivaces.

4. Éste es el chi de una persona soñadora o distraída, alguien cuyo chi suele volar por cualquier parte. "El cuerpo está aquí, no así la mente," dice un viejo proverbio chino.

5. Las personas como ésta son desconfiables, de intenciones solapadas. Su chi está descarriado, y por consiguiente la persona no piensa ni habla con franqueza.

6. Pese a ser bien intencionada, con muchas ideas, esta persona no se siente feliz con lo que hace. Tal vez quiera ser abogada, médica o periodista, pero nunca se tomará el trabajo de intentarlo. Es indecisa y distraída, y por consiguiente, nunca se destacará en el plano profesional.

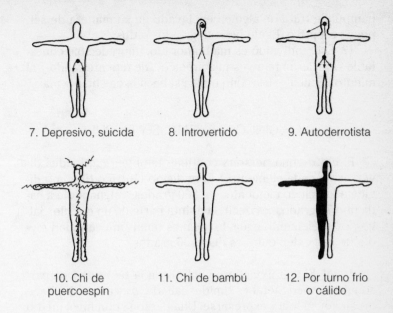

7. Depresivo, suicida   8. Introvertido   9. Autoderrotista

10. Chi de puercoespín   11. Chi de bambú   12. Por turno frío o cálido

7. Aquí el chi corre en dirección descendente, arrastrando hacia abajo la energía y el ánimo. Dado que el chi está dispuesto a abandonar el cuerpo, esta persona suspira mucho. Es depresiva, y autodestructiva hasta el punto de ser suicida. Hay que cuidarse de estas personas, que nos pueden producir problemas comerciales o emocionales.

8. Este individuo es un introvertido que piensa demasiado. Al chi lo tiene concentrado en la cabeza, lo cual lo vuelve suspicaz y retraído, propenso a un colapso nervioso. Este chi a veces produce no sólo problemas mentales tales como la paranoia, sino también síntomas físicos de estrés, como las úlceras.

9. Las personas como ésta tienen una excesiva autoimagen, no respaldada por la realidad. Son fácilmente engañables y autoderrotistas.

10. Esta persona es mordaz. Posee un chi de "puercoespín", cierta tendencia a criticar a los demás, a insultar y hacer comentarios desagradables.

11. El chi de esta persona es similar a un tallo rígido de

bambú. Se trata de alguien enclavado en su manera de ser, poco receptivo. El chi no le llega a los oídos.

12. Este individuo es malhumorado, impredecible e inestable –quizás un tanto esquizofrénico–, de repente cálido y al minuto siguiente, frío. Uno nunca sabe si le cae bien o mal.

LOS CINCO ELEMENTOS Y EL CHI

El chi de una persona contiene también cantidades diversas de cada elemento.* El budismo tántrico tibetano divide a los cinco elementos en 360 grados, asignándole a cada uno 72 grados, es decir, la quinta parte de un círculo. Salvo por el elemento agua, lo ideal es tener una cantidad media de cada elemento, es decir, 36 grados.

Metal. El metal y el oro simbolizan la rectitud. Una persona con poco metal es tímida, callada, precavida. No hace oír su voz ni logra expresarse. Una persona con nivel medio de metal habla lo justo, y sus comentarios son apreciados. Es una persona justa y sabe escuchar con paciencia. El hecho de poseer una gran dosis de metal convierte a un individuo en un hablador compulsivo, polémico, con aires de superioridad, alguien que no piensa antes de hablar, y por lo tanto, comete errores.

Madera. Este elemento representa la constancia y la benevolencia. Una persona que posee poca madera es como una hoja que flota en un lago, que va a la deriva según de dónde sople el viento. No tiene un punto de vista firme y se deja influir demasiado por los demás. El individuo con una dosis equilibrada de madera se asemeja a un árbol joven y sano. Cuando sopla el viento, sus ramas se arquean, pero vuelven a su anterior posición. Este ser es flexible y recep-

---

* El feng shui tradicional sostiene que las mujeres poseen sólo cuatro elementos y siempre les falta uno. Toma el elemento dominante de una persona –según su día de nacimiento– y la alinea en una dirección. A las personas con un fuego intenso se les recomienda que su cama, escritorio o entrada de la casa miren al sur.

tivo frente a las nuevas ideas, que seguramente incorporará como propias. El que tenga un exceso de madera es como una palmera robusta, a la que no logran mover las brisas, pero es tan frágil que puede ser arrastrado por un viento huracanado. Esta persona tiene infinidad de ideas, pero es terca y prejuiciosa, y no escucha a los demás.

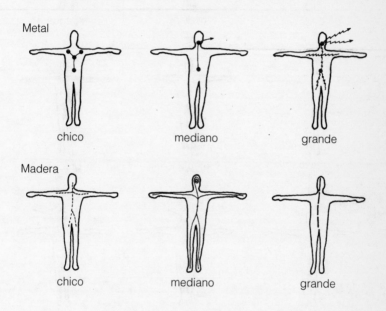

Agua. Los chinos dividen el agua en dos fases: agua quieta y en movimiento. El agua en movimiento representa un espectro de contactos y actividades sociales y comerciales, como también empeño personal y eficiencia. La persona que tiene apenas un hilo de agua se va a quedar siempre en su casa, va a preferir no salir. Sus pies no se mueven mucho, y en su mente tampoco anidan muchos pensamientos. El ama de casa frenética puede ser como una cascada, que crea un gran nivel de actividad durante el día; da la impresión de estar siempre yendo a algún lugar, pero termina en la cocina cocinando para invitados. Del mismo modo, una fuente no viaja demasiado lejos. Esta persona es muy activa, pero termina haciendo las mismas cosas una y otra vez.

227

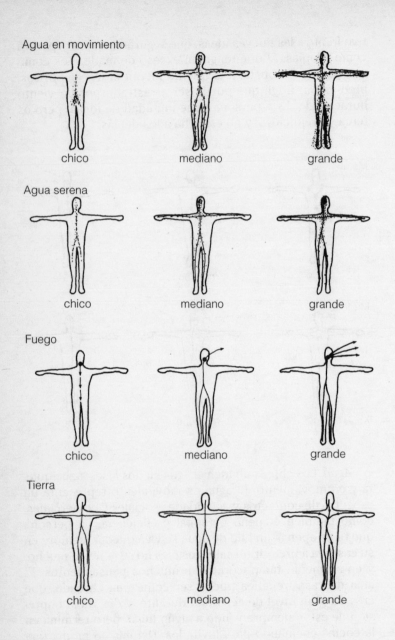

Agua en movimiento

chico   mediano   grande

Agua serena

chico   mediano   grande

Fuego

chico   mediano   grande

Tierra

chico   mediano   grande

LOS CINCO ELEMENTOS Y EL CHI

228

La persona que se asemeja a un arroyo tiene más contactos con el mundo exterior, pero los obstáculos la hacen desviar de su curso. El río tiene más fuerza y llega antes a cualquier parte, a veces arrastrando a otros en su curso. El mar tiene ilimitados contactos y oportunidades; nunca está en su casa, y tal vez intente hacer demasiadas cosas a la vez.

El agua serena refleja inteligencia y perspicacia. Un pozo seco es irreflexivo, intolerante, de miras estrechas. El chi de esta persona no circula por su cabeza, de modo que sus pensamientos a menudo son erróneos. Una zanja tiene una visión desequilibrada; cuando llueve, se filtra allí agua impura que ensucia su claridad. Una laguna es pequeña pero límpida, refleja inteligencia pero escasos intereses. Un embalse es claro y amplio –tan sereno que refleja la luna–, una persona sumamente inteligente, lúcida y reflexiva.

Fuego. El fuego es el elemento de la razón, la expresividad y la etiqueta. Quienes tienen poco fuego internalizan sus sentimientos, se tragan el enojo en vez de defenderse. Suelen ser poco motivados, inexpresivos y tolerantes por de más. La internalización de sus sentimientos produce tensión en sus órganos, lo cual los lleva a padecer problemas de salud potencialmente peligrosos, sobre en la zona estomacal.

Los que tienen una cantidad media de fuego son corteses, poseen un sentido profundo de justicia y son capaces de criticar las cosas que están mal, pero saben cuándo detenerse.

Quienes tienen una gran cantidad de fuego son verbalmente agresivos, gritones y dominantes. Asumen el papel de juez y árbitro, pero carecen de perspectiva y de freno, de modo que se exceden con las críticas. Puesto que son intolerantes, tienden a ser airados, quejosos, insatisfechos.

Tierra. La tierra representa honestidad y lealtad. Las personas con una cantidad pequeña de tierra se cuidan muy bien a sí mismas y no comparten nada con los demás. Suelen ser poco sinceras, oportunistas, egoístas. Las que tienen una cantidad media de tierra son confiables, sinceras y fieles. Piensan en los demás y en sí mismas. Cuando salen a cenar, tal vez sugieran pagar cada cual lo suyo.

Los que tienen una gran dosis de tierra son demasiado serios y abnegados. También exhiben cierta tendencia a dilatar las cosas. Son muy generosos, hasta el punto de ofrecer dinero pese a que no lo tienen. Su chi fluye un tanto en dirección descendente.

AJUSTAR LOS CINCO ELEMENTOS

CURAS. Cada solución debe reforzarse con los Tres Secretos.

Metal. Durante tres o nueve días, ponga bajo el colchón un anillo no metálico –de jade, coral o lapislázuli–; luego úselo en el dedo que representa su edad (véase Anexo 4).

Madera. Ponga en la casa tres macetas con plantas: una cerca de la entrada, otra cerca de la sala y una tercera en el dormitorio. Si alguna de las plantas se seca, reemplácela con otra más sana y más cara.

Agua. Para el agua serena, coloque un espejito redondo bajo el colchón, a la altura de donde usted apoya la cabeza. Todas las mañanas, lo primero que deberá hacer será limpiar el espejo y visualizar un pensamiento más lúcido y una mente más serena. Después vuelva a ponerlo bajo el colchón. Repita la operación durante veintisiete días. Para el agua en movimiento, conozca todos los días a dos personas nuevas, escriba como mínimo dos cartas o bien llame por teléfono a dos amigos a los que no haya visto durante seis meses. No les pida nada ni presente queja alguna. Repita esto durante veintisiete días.

Fuego. Todas las mañanas, respire hondo y luego expire con ocho exhalaciones poco profundas. La novena debe ser larga. Repita este proceso nueve veces durante veintisiete días.

Tierra. Deje caer nueve piedras pequeñas dentro de un tintero o un jarro de reducidas dimensiones. Agregue un setenta por ciento de agua pura. Deje expuesto al cielo; luego llévelo a su casa o al escritorio de su oficina. Repita durante veintiséis días más, cambiándole cada mañana el agua y dejándolo después expuesto al cielo.

LA MEDITACIÓN

Durante muchos siglos, los chinos han utilizado la meditación junto con el feng shui pare realzar su chi, y mejorar de ese modo su salud y su futuro. Los expertos en feng shui meditan antes de examinar un lugar. He aquí dos meditaciones:

El Gran Método de Buda del Sol se emplea para purificar y sanar el cuerpo y el espíritu.

1. Con los brazos y las palmas en alto, levante la cabeza hacia el sol. Imagine que el sol que corporiza el hum, un sonido sagrado, que gira y desciende, que se calienta y rápidamente se introduce por el tercer ojo. Luego avanza de prisa por el cuerpo, lo colma, lo baña con sonido y calor. Cuando llega a la altura de los pies, se retira. Afloje los brazos.

2. Vuelva a alzar brazos y palmas. El sol y el sonido entran por ambas palmas y el tercer ojo. Se dirigen rápidamente hacia los pies, rebotan hasta la cabeza y allí salen. Afloje los brazos.

3. Con brazos y palmas en alto, sol y sonido vuelven a entrar en el cuerpo por los tres puntos, y van de prisa hacia abajo. Luego se elevan lentamente dando vueltas en círculo alrededor de los órganos vitales, las articulaciones y puntos problemáticos. Use el sonido y el sol intenso para curar esos problemas, empujando el chi dañino hacia arriba y luego hacia afuera. Baje los brazos y repita nueve veces durante nueve o veintisiete días. Un ciclo puede realizarse a la mañana, otros siete durante el día y el último a la hora de irse a dormir.

El Sutra del Corazón es un modo de activar y mejorar el chi. Hay varias maneras de meditar, y muchas posiciones diferentes: sentado (o posición de loto), de pie, de rodillas: cualquiera de ellas sirve.

A continuación, una de las posibilidades: entone el Sutra del Corazón (véase Anexo 1, los Tres Secretos) para serenar su mente. Estando de pie, apriete las palmas una con otra como en actitud de oración. Visualice la imagen de Buda –o de cualquier otra deidad– que baja y se sienta sobre su cabeza. Imagine que entra por la coronilla y colma todo su cuerpo. Ya inundado por el chi de Buda, usted se convierte en una sola entidad junto con él. A continuación visualice unas llamas que bajan del cielo y entran en su cuerpo por la coronilla, encendiendo su pelo. El fuego va quemándole progresivamente el cuerpo, los ojos, la nariz, las orejas, la boca, la conciencia. El viejo ser se va desprendiendo, y deja a su cuerpo hecho una cáscara vacía, que luego ocupa Buda. Visualice dos lotos rosados, uno debajo de cada pie. Imagínelos generando algo nuevo que crece desde la planta de los pies, que sube, que crea un cuerpo renacido, purificado, una mente, un ser nuevo. Una vez más, usted y Buda se unifican en una sola entidad. Imagínese a sí mismo poseyendo la sabiduría, la compasión, el color, las facultades de Buda. Luego visualice en su corazón una flor de loto rosada, y sobre ella, dos ruedas de luz (una roja y la otra blanca). La luz roja está inmóvil, pero la blanca gira en redondo y corporiza el *hum*. Se trata de una luz intensa y cálida, similar a un rayo de sol. La luz blanca da vueltas y vueltas, llena su cuerpo entero y luego emana de allí en todas las direcciones, colmando el universo en su totalidad. La distancia hasta donde puede llegar su luz no tiene límite. Brilla sobre los cuerpos y el panteón de los Budas. Esos Budas adquieren brillo, y el reflejo de esa luz vuelve hasta usted, que recibe la luz desde el panteón. *(Puede usted detenerse aquí y recitar nueve veces el Sutra del Corazón, o continuar con los pasos siguientes.)*

Cuando la luz de los Budas ingresa en su cuerpo, visualícese bendiciendo a todos los seres sensibles, quitándoles el dolor y la desdicha que oprime sus corazones. En medio de la felicidad resultante, imagine que ellos le transmiten de vuelta la luz. Después, envíe la luz para que ella bendiga a un amigo querido o un pariente que pudiera estar padeciendo alguna enfermedad o tristeza. Visualícese proyectando la luz de Buda sobre esa persona, aliviándole el dolor, cam-

biándole el ánimo –de deprimido a feliz– o haciéndolo reco-
brar de su enfermedad. Luego esa persona le enviará de
vuelta la luz.

LA REENCARNACIÓN

Cuando morimos, nuestro chi vuelve a convertirse en
ling. El ling permanece en la tierra, se desplaza a lugares
donde estuvimos cuando estábamos vivos, quizás hasta el
sanatorio, cementerio, sala mortuoria o incluso a su propia
casa. Hay varios marcos posibles para el ling. Podría reen-
carnarse en un ser humano o un animal. El ling poderoso
evita la reencarnación, no regresa a la vida humana, y a la
larga logra el nirvana, el estado de mayor felicidad. Un ling
más débil puede permanecer en la tierra en forma de espíritu o fantasma. Cuando uno oye ruidos en una casa muy antigua, podría tratarse del ling de alguna persona que murió
allí trescientos o cuatrocientos años atrás.

Algunas reencarnaciones son motivadas por el ling, que
subconscientemente quiere regresar al mundo a realizar
buenas acciones o a completar cierto trabajo inconcluso.
Sin embargo, luego de entrar en el embrión, el ling-chi des-
cubrirá impedimentos, como por ejemplo, que el cuerpo y
la mente del bebé no pueden hacer la voluntad del ling.
Cuando la persona madure, se podrán superar los impedimentos y concluirse las tareas planeadas.

Anexo 3

LA ADIVINACIÓN

El feng shui incorpora varias formas de adivinación. Cada disciplina del feng shui ofrece diversas técnicas para determinar posibles fechas auspiciosas, para interpretar sueños y vaticinar el futuro. He aquí algunos métodos propios de la Secta del Gorro Negro:

LA ASTROLOGÍA

Para los chinos, además de haber un lugar adecuado, hay también un momento o tiempo indicado. La astrología es una herramienta que utiliza el feng shui en todas sus prácticas. Muchos chinos no inauguran una oficina, no se casan, no salen de viaje ni cierran un trato comercial hasta haber consultado con un adivino, un experto en feng shui o un almanaque para encontrar la fecha más propicia. Se cuenta que Sotheby's de Hong Kong realiza remates en días elegidos especialmente. A diferencia de la astrología occidental, que se centra en los meses, los chinos toman el año de nacimiento de la persona como factor determinante para elegir el momento adecuado. Se valen de doce animales para expresar el tiempo zodiacal. En efecto, el tiempo chino se centra en torno del número doce: un ciclo de doce años, doce fases en un día (de dos horas cada una), y doce meses en un año. Aseguran que es fundamental conocer el zodíaco chino cuando uno quiere elegir un buen socio o cónyuge, o bien escoger el mejor momento para algo. La astrología también puede incidir sobre el feng shui y el ba-gua; ciertas formas de casas pueden causar daño a personas nacidas en determinados años. Una casa a la que le falte una sección en la parte del matrimonio también puede ser perniciosa para las personas nacidas en el año del buey y el tigre.

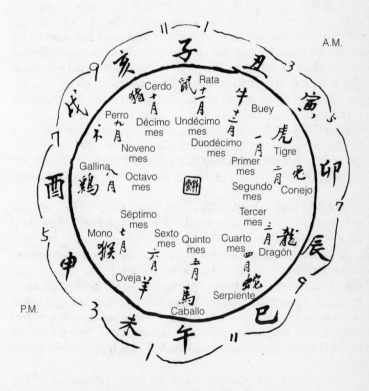

LOS DOCE ANIMALES DEL ZODÍACO CHINO

235

La rata (1900, 1912, 1924, 1936, 1948, 1960, 1972, 1984) posee atributos que van desde la simpatía y el humor hasta la sinceridad y la minuciosidad. Para los chinos, los nacidos en estos años son buenos consejeros, pero les cuesta decidir para sí mismos, y constantemente cambian de dirección. Sin embargo, por momentos las ratas ambicionan tener dinero y poder, lo cual lleva a algunas a dedicarse al juego, y a otras, a ser manipuladoras o mezquinas. La codicia puede resultar para ellos una trampa destructiva.

El buey (1901, 1913, 1925, 1937, 1949, 1961, 1973, 1985) trabaja denodada, metódicamente. Estas personas disfrutan ayudando al prójimo. Detrás de su fachada tenaz, laboriosa y sacrificada se esconde una mente despierta. Si bien su fortaleza y equilibrio inspiran confianza, los bueyes pueden parecer rígidos, tercos y lentos. Deben trabajar largas horas y lo que consiguen es poco. Según dicen los chinos, la época del año en que nace un buey es importante para determinar su estilo de vida. Una mujer de Hong Kong se jactaba de que nunca iba a tener que preocuparse por problemas económicos pues había nacido una noche de invierno. Los bueyes tienen poco que hacer los meses invernales, explicó, porque ya terminó el sudor del verano y la cosecha otoñal, y queda en manos del granjero alimentar y brindar calor a los bueyes a fin de que éstos tengan fuerzas para la época del sembrado de primavera. Sin embargo, los bueyes nacidos durante los meses agrícolas están condenados a una vida de ardua labor.

El tigre (1902, 1914, 1926, 1938, 1950, 1962, 1974, 1986) es valiente, activo, seguro de sí mismo. Notable dirigente y protector, el tigre atrae discípulos y admiradores. Por amplio que sea su criterio, los tigres son apasionados, irreflexivos y renuentes a aceptar la autoridad de los demás. Los chinos dicen que los tigres que nacen de noche son particularmente inquietos, porque la noche es la hora en que salen a cazar. A las mujeres de carácter feroz las apodan "tigresas", y por esa razón algunos chinos evitan tener hijos el año del tigre: por miedo a engendrar una hija.

El conejo (1903, 1915, 1927, 1939, 1951, 1963, 1975, 1987) es rápido, inteligente y ambicioso, pero rara vez termina lo que empieza. El conejo es un ser social, diplomático, frío y perceptivo de los demás. Sin embargo, esta calma puede convertirse en aislamiento; la sensibilidad puede ser superficial, y la inteligencia puede llegar a adquirir matices diletantes. El conejo tiene suerte pues, con astucia y apenas un poco de esfuerzo puede llegar lejos.

El dragón (1904, 1916, 1928, 1940, 1952, 1964, 1976, 1988) nace en el año más deseable. La familia imperial adoptó al todopoderoso dragón como símbolo del emblema real. Poseedor de poderes mágicos, el versátil dragón es capaz de ascender raudamente hasta las alturas celestiales o de zambullirse en las profundidades del mar. Astuto, saludable y lleno de vitalidad, el dragón posee también una arista mística; así, podemos decir que es intuitivo, artístico y extrañamente beneficiado por la suerte. Sin embargo, también puede caer muy bajo, volverse irritable, terco e impetuoso. La mística seducción del dragón puede llegar a ser demasiado alejada de este mundo, y eso lo vuelve un ser al que es difícil acercarse. La insatisfactoria vida sentimental del dragón lo llega a una serie de amores y matrimonios.

La serpiente (1905, 1917, 1929, 1941, 1953, 1965, 1977, 1989), en Asia, prefiere hacerse llamar "pequeño dragón", con lo cual da a entender que ése también es un año de suerte. Las serpientes son sabias, filosóficas, serenas y comprensivas. Son receptivas y físicamente tentadoras, aunque a menudo también inconstantes. El éxito y la fama le llegan con facilidad. Cuando se enojan, escupen veneno y se vuelven egoístas. Pueden llegar a ser haraganas y autocomplacientes. Su innata elegancia a veces se vuelve ostentosa.

El caballo (1906, 1918, 1930, 1942, 1954, 1966, 1978, 1990) es un personaje alegre, simpático, que siempre cae bien. Trabajador, sereno y agudo, demuestra habilidad para adquirir poder, riqueza y respeto. Sin embargo, su franqueza puede llegar a ser poco diplomática, y su búsqueda de éxito podrá convertirlo en egoísta y depredador. En ocasiones, el caballo es también obstinado.

La cabra (1907, 1919, 1931, 1943, 1955, 1967, 1979, 1991), dotado de inteligencia y talento artístico innatos, obtendrá buenos resultados en los negocios. Estas personas son de temperamento agradable y altruistas. Sin embargo, sus éxitos se limitan al dinero; en las cuestiones familiares fracasan. Pueden llegar a ser un poquito desabridos, indisciplinados e irresponsables, y por momentos, exhibir una faceta misántropa.

El mono (1908, 1920, 1932, 1944, 1956, 1968, 1980, 1992) es vivaz, agradable, ingenioso. Llenos de inventiva e inteligentes, los nacidos en estos años son capaces de resolver rápida y hábilmente la mayoría de los problemas. No obstante, con frecuencia son entremetidos, oportunistas e inescrupulosos hasta el punto de volverse falsos y maquinadores. Tienen tendencia a la holgazanería, y pierden el tiempo con cuestiones menores mientras dejan de lado temas importantes.

El gallo (1909, 1921, 1933, 1945, 1957, 1969, 1981, 1993) es trabajador, hábil, talentoso, muy seguro de sí. A diferencia del estereotipo de gallina que se tiene en Occidente, el gallo chino es valiente. Cuando está en grupo es vivaz, divertido, pero en ocasiones puede ser algo engreído. Su jactancia puede llegar a ser muy fastidiosa para parientes y amigos.

El perro (1910, 1922, 1934, 1946, 1958, 1970, 1982, 1994) es un amigo fiel, sincero y valiente, con un profundo sentido de la justicia, una persona que inspira confianza. Suele ser magnánimo y próspero, aunque a veces también obstinado, precavido, un tanto a la defensiva. Consigue rápidamente las metas que se propone, pero en realidad no descansa nunca. Pese a presentar una apariencia serena, su corazón y su mente andan siempre a los saltos.

El cerdo (1911, 1923, 1935, 1947, 1959, 1971, 1983, 1995) es sensible, cariñoso y complaciente. No sólo inteligentes y cultos, los cerdos tienen también cierta vena desenfadada. Suelen darse los gustos y caer a veces en la glotonería. A diferencia de los maquiavélicos cerdos de *Rebelión en la granja,* los cerdos chinos suelen ser inseguros e indefensos. Durante sus períodos de gordura, de repente pierden todo y son incapaces de defenderse, y menos capaces aún de atacar a otros. En general tienen suerte, pero son holgazanes.

Tradicionalmente, los casamenteros chinos tomaban en cuenta la fecha de nacimiento para determinar si una chica y un muchacho eran compatibles. He aquí algunos gráficos sencillos que indican parejas compatibles e incompatibles (véanse diagramas).

Al elegir un año, mes u hora del día afortunados, los expertos usan las mismas configuraciones que para elegir un cónyuge compatible. Por ejemplo, si una persona nacida el año del mono quisiera edificar una casa, comprar acciones, viajar o jugar a la lotería, podría hacerlo entre las 15 y las 17 horas, entre las 21 y las 23 o bien entre las 23 y la 1 de la madrugada siguiente.

Del mismo modo es posible relacionar las formas de las casas con los doce animales y los períodos. Si hay una esquina faltante en la zona del buey, podría ser un signo especialmente negativo para los nacidos en el año del buey, el tigre, el gallo y la serpiente.

LA QUIROMANCIA

Nuestro cuerpo en su totalidad exhibe signos que son un reflejo de nuestro pasado, presente y futuro. Un antiguo residente de Shanghai cuenta haberle leído las manos a una joven actriz de segunda categoría en la década de 1930. Curiosamente vio en sus palmas signos indicadores de una reina o emperatriz. Y por cierto, la muchacha con el tiempo llegó a ser Chiang Ch'ing, esposa de Mao Tse-tung.

Para los chinos, ciertas líneas y facetas revelan nuestro curso de vida. Si aprendemos a leerlas, sabremos qué esperar y, poniendo empeño, seremos capaces de mejorar nuestro destino; por eso es que suelen leer las caras, palmas, orejas y cuerpos. Un taiwanés que leía los rostros predijo que el presidente Kennedy moriría con poco más de cuaren-

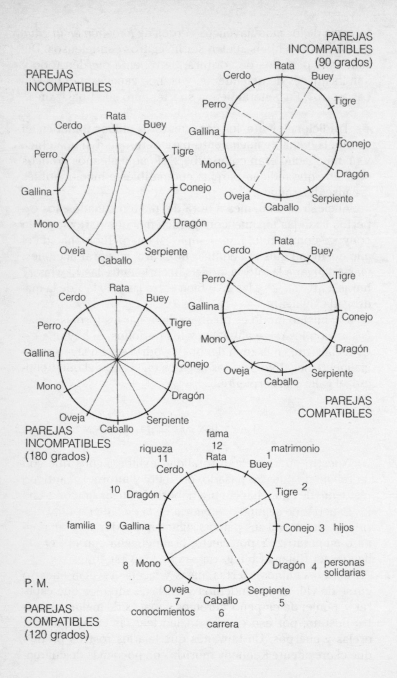

PAREJAS
INCOMPATIBLES

PAREJAS
INCOMPATIBLES
(90 grados)

PAREJAS
INCOMPATIBLES
(180 grados)

PAREJAS
COMPATIBLES

P. M.

PAREJAS
COMPATIBLES
(120 grados)

ta años porque tenía los ojos protuberantes. (Las marcas o cicatrices sobre la nariz y entre los ojos también son indicativas de accidente, muerte o enfermedad a la edad de cuarenta años.) Un prestigioso restaurador, que lleva penosas marcas, asegura dejar siempre perplejos a quienes le leen el rostro porque, por su fisonomía, él debería haber muerto diez años antes; sin embargo, recibió ayuda del feng shui.

La Secta del Gorro Negro ofrece su propia forma de quiromancia, que incorpora métodos tradicionales con los cinco elementos e incluso el ba-gua.

Según la práctica de la Secta del Gorro Negro, tanto la mano izquierda como la derecha nos permiten conocer nuestro destino. (La quiromancia tradicional examina la mano izquierda para el hombre y la derecha para la mujer.) La mano izquierda del varón es prenatal, es decir, muestra lo que está determinado con anterioridad al nacimiento. Su mano derecha muestra el presente y cómo contribuyeron las influencias pos natales y la personalidad a formar su vida y modificar el curso prenatal. Por ejemplo, con un gran empeño o con tozudez se puede cambiar el propio destino para bien o para mal.

En el caso de las mujeres, la mano izquierda es posterior al nacimiento, y la derecha, anterior.

Hay que leer primero la mano prenatal.

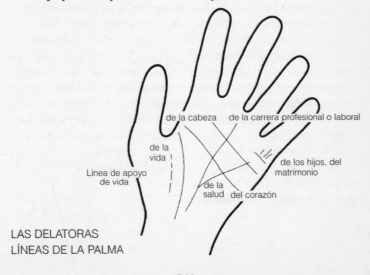

de la cabeza   de la carrera profesional o laboral

de la vida

Línea de apoyo de vida

de los hijos, del matrimonio

de la salud   del corazón

LAS DELATORAS
LÍNEAS DE LA PALMA

LAS LÍNEAS

A la línea del corazón hay que leerla desde el borde hacia el centro. Si es un trazo marcado y uniforme, las emociones son estables. Si se ramifica, habrá gran cantidad de romances.

Si la línea de la vida es compacta y larga indica longevidad, buena salud y una vida sin peligros. Se la debe leer desde arriba (nacimiento) hacia abajo. La línea cortada puede indicar enfermedad, operación o accidentes.

A la sombra de la línea de la vida se halla la del sostén de vida que, según dónde se halle, puede impedir o morigerar los efectos de un accidente. También representa ayuda que se recibe de otros.

La línea de la carrera corre de abajo hacia arriba. Un corte en ella indica una nueva profesión.

La línea de la salud no necesita explicación, y se bifurca partiendo de la de la profesión.

LOS DEDOS

Los dedos representan a amigos y familiares. El pulgar son los padres; el índice son los hermanos. El yo está representado por el dedo medio. Los amigos y el cónyuge son el anular, mientras que el meñique representa a los hijos.

Los dedos también indican las edades de la propia vida. Para descifrar esta compleja topografía hace falta conocimiento. Una línea horizontal en la parte central del índice puede representar problemas entre hermanos, o bien un accidente o enfermedad en la adolescencia. Un corte en la línea de la vida en la zona de los cincuenta años presagia problemas, pero si hay otra línea paralela, de apoyo de la vida, quiere decir que uno sobrevivirá. Un quiebre en la línea de la carrera profesional en la intersección con la línea de la mente puede augurar una nueva profesión a los treinta y cinco o treinta y seis años.

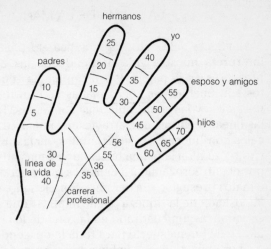

LA EDAD EN LA PALMA DE LA MANO,
LOS SECTORES DE LOS DEDOS Y SU SIGNIFICACIÓN

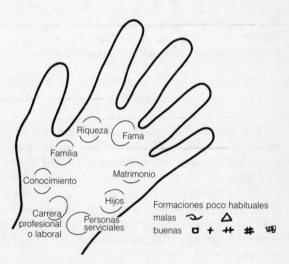

EL *I CHING* Y LA PALMA DE LA MANO

LA PALMA DE LA MANO

La Secta del Gorro Negro aplica el *I Ching* a la palma, e interpreta nuestra vida partiendo de las configuraciones presentes en la palma. Por ejemplo, las zonas protuberantes son buenas; las zonas planas son un término medio o normales, y las zonas hundidas son malas. También se leen las líneas menores que atraviesan la mano. Las líneas verticales son buenas; las horizontales, malas. El quiromántico chino examina la palma buscando formas atípicas causadas por el entrecruzamiento de líneas que pueden traer buenos o malos presagios a la persona. Por ejemplo, un triángulo en la posición de la riqueza puede implicar que habrá pérdidas económicas; un cuadrado en la zona de los hijos puede ser índice de buena suerte para toda la descendencia.

Los chinos tienen también diversos modos de leer el rostro y las orejas. Uno de los métodos consiste en utilizar el bagua. Las protuberancias y cicatrices en una de las ocho zonas pueden indicar problemas antiguos o presentes con familiares y amigos. Los colores debajo de los ojos se asocian con ciertos acontecimientos: el amarillo es índice de festejo, el negro de enfermedad, el blanco de muerte de un familiar, el rojo de enredos gubernamentales o jurídicos, mientras que el verde presagia conmoción y preocupaciones.

LOS SUEÑOS

Los sueños –el estado subconsciente en que nos hallamos por la noche– constituye otra manera de comprender y ampliar el conocimiento de nuestro chi, salud, pensamiento y vida.

El chi de una persona varía entre las horas del día y las de la noche. Tal como se explicó antes, muchos elementos influyen sobre el chi: el universo, la sociedad, la política, la economía, el feng shui, nuestro propio chi y el de los demás. Los sueños expresan fundamentalmente los efectos sobre nuestro propio chi y el de los demás.

El chi nocturno puede comportarse de diversas maneras:

1. Cuando tanto el cuerpo como el chi están cansados la persona no sueña.

2. Cuando el cuerpo está cansado pero el chi sigue activo y no quiere salir del cuerpo para que éste descanse, puede suceder que el chi abra los ojos o bien hacer que el cuerpo se sacuda y dé vueltas. Esto le producirá a la persona insomnio, palpitaciones, y en última instancia, un colapso nervioso.

3. Si el chi es débil noche y día, la persona tendrá sueños extraños por la noche, y durante el día soñará despierta. Esos individuos suelen ser imprecisos y equivocarse en su criterio. Por ejemplo, puede ser que confíen en alguien que oculta malas intenciones. No tienen demasiadas energías como para descollar en su carrera profesional o laboral, y sufren problemas crónicos de salud.

4. Cuando el cuerpo está cansado y descansando pero el chi se halla activo y sale del cuerpo para pasear o visitar a un amigo, éste luego regresa y ocupa la mente; cuando el cuerpo se despierta, el chi le hace recordar sus paseos y actividades nocturnas: eso es precisamente el sueño.

Diversos elementos influyen sobre nuestro chi:

1. Nuestros sentidos, que a su vez resultan afectados por estímulos positivos y negativos.

2. Recuerdos de experiencias buenas y malas.

3. Nuestros deseos.

4. Nuestros temores.

5. Posibles desequilibrios en los órganos o elementos de nuestro cuerpo.

Así, el estado del chi de cada persona contribuye al tipo de sueño. La gente con demasiado yin sueña con agua. La gente con demasiado yang sueña con fuego. Quienes tienen gran cantidad de yin como de yang sueñan con dos personas que discuten, se pelean y se matan una a la otra. Los que tienen una pequeña dosis de yin y yang sueñan con que están oprimidos o que se mueren. Los que tienen un chi ascendente sueñan que pueden volar por el aire o flotar en el agua. Las personas con un chi descendente sueñan con que se caen al agua o se despeñan de un acantilado.

El cuerpo también incide sobre nuestros sueños. La persona que comió demasiado sueña con donar objetos a otros. La persona que se acuesta con hambre sueña con apoderarse de cosas. Los que sufren del hígado se enojan en sus sueños, mientras los que padecen afecciones pulmonares sueñan con que lloran.

Los sueños pueden dividirse según el momento de la noche en que se presenten. Los que aparecen en el primer segmento de la noche reciben la influencia de los acontecimientos del día; los que aparecen en el segundo tramo representan nuestra experiencia o vida pasada; si aparecen en el tercer tramo, es decir poco antes de despertarnos, constituyen una premonición.

Los sueños también indican buena o mala suerte. Soñar con el sol, con dragones o con la cabeza se interpreta como buenos signos, mientras que soñar con pies, con colas o con un agujero profundo son malos presagios. Lo peor es cuando la persona sueña con la habitación de la casa donde realmente está durmiendo, pues se considera que su energía está oprimida por el chi pernicioso, y que por lo tanto su propio chi no puede escaparse y viajar.

La persona viviente que resulta muerta en un sueño tendrá muy buena suerte, lo mismo que quien así la soñó. Si un muerto aparece vivo en un sueño, se considera un buen augurio para la persona que lo sueña.

El hecho de no soñar no es necesariamente malo. Pero la Secta del Gorro Negro tiene una cura para las pesadillas. Dentro de los tres días de haber tenido el sueño, hay que escribir en papel redondo: "Tuve una pesadilla y ahora escribo en un alto muro. El sol sale y brilla, y el mal se vuelve bueno. Por consiguiente, el resultado será bueno también." Por la noche, pegue el papel en un sitio alto o en una cartelera.

EL *I CHING*

Hay quien dice que el *I Ching* es el más antiguo libro chino —o *ching*–, que se remonta cinco mil años, hasta la época de la legendaria dinastía Hsia. El término *I* 易 significa cambio: simboliza un día, el sol 日 y la luna 月 que avanzan, y sin embargo eternamente vuelven a aparecer. Algunos sostienen que *I* 易 es un camaleón 蜴 que cambia de colores para protegerse; en consecuencia, el *I Ching* se interpreta como un manual para ayudarnos a adaptar a las exigencias y peligros de la sociedad y la vida. Pero lo más probable es que, además de ser todo esto, el *I* 易 represente al intercambio recíproco entre el yin y el yang, las dos fuerzas primordiales del universo, de la cual surgen todas las cosas.

El *I Ching* es obra de varias mentes. El legendario Fu Hsi, observando el continuo paso de la naturaleza, que va del día a la noche, y luego de nuevo al día, creó los ocho trigramas; el rey Wen, fundador de la dinastía Chou, combinó los trigramas y explicó el significado de los hexagramas resultantes. Su hijo, el duque de Chou, brindó el sentido de las líneas, y agrega la leyenda que Confucio, su contemporáneo, escribió los comentarios.

A continuación, un ritual de la Secta del Gorro Negro destinado a crear un clima positivo cuando uno busca la sabiduría del *I Ching*, ritual que sirve para aumentar la propia receptividad frente a profundos y útiles consejos.

CÓMO UTILIZAR EL *I CHING*.
MÉTODO DE LA SECTA DEL GORRO NEGRO

1. Tome seis monedas, cinco del mismo tamaño y una más grande o más pequeña para indicar la línea "cambiante".

2. Piense en una divinidad –Dios, Buda, Alá– que responda su pedido. Luego pídale a la deidad su guía y ayuda.

3. Ritual previo al momento de arrojar las monedas:

- Serénese, vacíe su mente de toda idea o preocupación. Concéntrese en lo que hace.
- Recite nueve veces el Sutra del Corazón, un mantra para calmar la mente (véase Anexo 1. Los Tres Secretos).
- Levante sus ojos al cielo.
- Inspire y exhale nueve veces.
- Pida orientación a una deidad; sea específico.

4. Agite nueve veces las monedas entre las manos o en un caparazón de tortuga. Elija una al azar, sin mirar. Ésa será la línea inferior de su hexagrama. Cara será el yang; ceca será el yin. Después va recogiendo una por una las demás

monedas hasta que tenga las seis líneas, es decir, el hexagrama. Fíjese dónde se encuentra la línea cambiante de la moneda pequeña.

5. Valiéndose de una traducción del *I Ching,* lea el hexagrama resultante de abajo hacia arriba. Lea el comentario correspondiente a cada línea y el hexagrama.

Luego arroje la moneda pequeña para cambiar la cara o ceca (el yang o el yin) o viceversa, y lea el hexagrama modificado, prestando especial atención a la línea cambiante. He aquí un ejemplo de hexagrama, que representa la unidad. Luego de dar vuelta la moneda pequeña, que representa a la línea cambiante, el hexagrama tendrá una nueva significación.

Quinta moneda: yang (cara)

Primera moneda: yin (ceca)

CURAS SELECCIONADAS

Las siguientes son prácticas personales relacionadas con el feng shui, destinadas a ayudar a alguien a aumentar su chi. Existen infinidad de curas, algunas de las cuales se realizan interiormente, a veces modificando el propio entorno. Por ejemplo, un ejecutivo colocó una pluma de gallo en un cajón de su escritorio para que mejoraran sus negocios; una pareja puso nueve piedras en una planta en la posición de la riqueza de su casa para aumentar, precisamente su riqueza; una mujer colgó una bola de cristal facetado en su casa, en la posición del órgano correspondiente, para tener éxito en una operación quirúrgica.

Tradicionalmente, estas curas funcionan como una suerte de bendición otorgada por un maestro del feng shui luego de que se le entregue un sobre rojo con dinero. Si bien las siguientes curas no son estrictamente médicas, existen modos en que uno puede cambiar su orientación física y mental y así conseguir alivio para uno mismo o para otros.

CURA PARA EL DOLOR DE ESPALDA

Una cura que contempla la Secta del Gorro Negro para el dolor de espalda –cuando todo lo demás falla– consiste en poner nueve trozos de tiza en un tazón con un poco de arroz crudo. Luego hay que colocar el tazón debajo de la cama, en el sitio que queda exactamente bajo su espalda.

ADQUIRIR EL CHI DEL MATRIMONIO

Esta cura es para quienes desean casarse. Los que ya están casados pueden hacerla igual, porque el chi de la boda se halla entre los mejores y más felices.

Debemos conseguir nueve objetos pertenecientes a una pareja de recién casados, o pedirles que toquen nueve objetos nuestros el día de su boda dentro de los noventa días de haberse casados. Que la novia vaya tocando cada uno. Cuando ella nos entregue los nueve objetos, visualicemos nuestra propia imagen adquiriendo el chi del matrimonio. Colóquelos en su dormitorio, en la posición correspondiente al matrimonio.

RITUAL PRENUPCIAL

En una tradición para obtener un matrimonio sólido se le pide a la novia que, antes de la boda, lleve dos vasos de agua al auto y luego arroje el contenido a la calle. Después de subir al coche, la novia no debe volver a mirar atrás. Lo chinos tienen un dicho: "La hija que se casa es como agua derramada: nunca puede volver atrás".

RITUAL PARA LA CONCEPCIÓN

La mujer toma el plato o tazón que usa su marido para comer –sin lavarlo– y pone dentro de él nueve semillas crudas de loto y nueve dátiles fritos. Luego llena con agua el setenta por ciento de la capacidad del tazón y lo coloca debajo de la cama (a la altura justa de su propio abdomen). Antes de poner el tazón bajo la cama, lo deja bajo la luna e invita al ling de la atmósfera a que entre en su casa. Luego refuerza esta cura con los Tres Secretos. Durante nueve días, lo primero que debe hacer la mujer a la mañana es cambiarle el agua al bol, dejarlo bajo el cielo e invitar a que se introduzca allí el ling del universo. Al cabo de nueve días, vuelca el contenido en una plantera y entierra las semillas y los dátiles. Coloca la maceta cerca de la puerta del frente y ejecuta los Tres Secretos. Repetir dos veces estas instrucciones. La segunda planta debe ubicarse en la sala, cerca de la puerta del frente, y la tercera en el dormitorio, en la posición correspondiente a los hijos. En todos los casos, reforzar la cura con los Tres Secretos. Trate de no mover la cama ni de limpiar debajo de ella.

Anexo 4

EL FENG SHUI DEL TEMPLO DE YUN LIN

Son raros los edificios que no precisan alguna mejora. Cuando el Templo de Yun Lin se mudó a una nueva sede en Berkeley (California), hubo que hacer varias modificaciones. Lo primero que se tomó en cuenta fue a sus anteriores ocupantes; la mansión colonial, de sesenta años de antigüedad, había tenido sólo dos propietarios, que llegaron hasta una edad avanzada, dato indicador de un chi estable. Lin Yun nos llevó a recorrer el nuevo sitio para el Templo, y nos explicó las ventajas y defectos del lugar.

Parado en el portón de acceso, observó las casas más sencillas, una parte más baja del terreno, y comentó que el chi de la tierra se hallaba concentrado en el sitio donde se levantaba su casa. Levantando la mirada hacia la escalinata de cuarenta y dos peldaños que subía hasta un pórtico con columnas, dijo que la altura confería a la edificación un aire señorial y vistas sorprendentes. Cuatro columnas de dos pisos sostenían el chi de la casa. Si bien la cuesta era muy pronunciada, planeaba acortar la subida construyendo unas terrazas parquizadas, adornadas con un inmenso Buda de piedra. Dos pinos gemelos que había a ambos lados del portón de acceso eran también rasgos atractivos y auspiciosos, que Lin Yun denominó "pinos de bienvenida para las visitas". Eran, dijo, dos custodios naturales que servían de protección y elevaban el chi espiritual de la casa. (Los dos árboles eran también una suerte de firma natural de Lin Yun, pues el nombre Lin –correspondiente además al carácter chino indicativo de "bosque"– se crea usando dos caracteres de "árbol"). Una vez adentro, Lin Yun explicó que la escalera estaba demasiado próxima a la entrada, por lo que trataría de disimularla levantando una pared espejada que también reflejara hacia adentro los dos pinos, con su auspiciosa connotación de longevidad. En el vestíbulo, nos hizo notar que cuatro puertas consecutivas alineadas canalizaban el chi demasiado de prisa. Eso no sólo causaría problemas físicos a las frecuentes visitas en la zona media de su cuerpo, sino que también crearía un eje divisorio a lo largo del centro dela casa, lo cual provocaría muchas discusiones entre los miembros del Templo. Para solucionarlo, habría que colgar una bola de cristal facetado o un carillón de viento en el vestíbulo a fin de cortar la línea de las puertas. En la planta alta, luego de mostrarnos una vista panorámica de la zona de la bahía, tocó una puerta en diagonal, dijo que podía presagiar desastres y decidió que habría de resolver la peligrosa estructura colgando una bola de cristal en el interior de la habitación a la que daba. Para finalizar, anunció que instalaría un ventilador eléctrico en el tragaluz del altillo con el fin de que elevase el chi de la casa entera.

Paseó la vista a su alrededor y dijo: "Hay mucho por hacer. Iremos haciéndolo paso por paso, pero una vez que el feng shui esté terminado, será una casa muy especial."

El Templo de Yun Lin es el primero de la secta del Gorro Negro del Budismo Tántrico Tibetano que se radicó en los Estados Unidos de Norteamérica. El templo abrió sus puertas en octubre de 1986, y está ubicado en: 2959 Russell Street Berkeley, CA 94705 (teléfono 415-841-2347).

ÍNDICE